Karl Rahner

in der Herderbücherei

Herderbücherei

Herders
Theologisches
Taschenlexikon

herausgegeben
von Karl Rahner

bietet dem Benutzer in über 450 Groß-
artikeln alles, was er für die Auseinandersetzung mit der Theologie und Bibelwissen-
schaft der Gegenwart, für ein vertieftes Glau-
bensverständnis und für den kritischen Ver-
kündigungsdienst braucht.

8 Bände komplett in Kassette
Bestell-Nr. 16750

Herderbücherei

Band 596

Über das Buch

Jedes der drei Themen dieses Buches steht für sich, und alle drei haben doch ein gemeinsames, wenn man will: kirchenpolitisches, Grundanliegen. Wie soll der heutige, unvermeidliche und berechtigte Pluralismus in der Kirche vereinigt existieren mit der Einheit der Kirche und ihres Glaubens? Dazu ist „Toleranz" erforderlich. Und diese hat auch ihre Grenzen. Darum das erste Thema: Toleranz in der Kirche. Man muß sich Gedanken machen über das tiefere Wesen der Freiheit, die von sich selber her Ordnung im Freiheitsraum der profanen Gesellschaft und der Kirche verlangt und von solcher Ordnung auch immer bedroht ist. Darum das zweite Thema: Freiheit und Manipulation in Gesellschaft und Kirche. Man muß sich schließlich Gedanken machen über die Situation, in der sich die Kirche im Jahrzehnt nach dem Konzil befindet. Darum das dritte Thema: Rückblick auf das Konzil.

Über den Autor

Karl Rahner, geboren am 5. März 1904 in Freiburg i. Br., 1922 Mitglied der Gesellschaft Jesu. Nach den ordensüblichen Studien der Philosophie und Theologie (1924–1934) Schüler M. Heideggers in Freiburg. Dr. theol. in Innsbruck (1936); Habilitation und Privatdozent in Innsbruck (1937). Seit 1949 ordentlicher Professor für Dogmatik an der Universität Innsbruck, seit 1964 als Nachfolger R. Guardinis Inhaber des Lehrstuhls für Christliche Weltanschauung und Religionsphilosophie an der Universität München, 1967 Ordinarius für Dogmatik in Münster, Konzilstheologe, seit 1971 emeritiert, lebt in München. Ehrendoktorate der Universitäten Münster, Straßburg, Notre Dame (USA), Saint Louis (USA), Yale (USA), Innsbruck, Löwen, Chicago, Pittsburgh, Madrid, Washington. Träger des Reuchlin-Preises der Stadt Pforzheim 1965. Mitglied des Ordens Pour le mérite für Wissenschaft und Künste und der British Academy. Herausgeber mehrerer theologischer Standardwerke mit internationaler Verbreitung. Das Verzeichnis seiner Bücher und Aufsätze umfaßt bis 1976 ca. 3000 Nummern.

Karl Rahner

Toleranz in der Kirche

Freiheit und Manipulation in Gesellschaft und Kirche

Rückblick auf das Konzil

Herderbücherei

Veröffentlicht als Herder-Taschenbuch
Der Beitrag „Freiheit und Manipulation in Gesellschaft und
Kirche" wurde mit freundlicher Genehmigung des Kösel-
Verlages, München, veröffentlicht
© 1970 by Kösel-Verlag GmbH & Co, München

Alle Rechte vorbehalten – Printed in Germany
© Verlag Herder KG Freiburg im Breisgau 1977
Herder Freiburg · Basel · Wien
Freiburger Graphische Betriebe 1977
ISBN 3-451-07596-2

Inhalt

Toleranz in der Kirche

Das Thema in seiner Formulierung: „Toleranz in der Kirche", ist mir vorgegeben. Das, was mit diesem Titel gemeint ist, wird in der theologischen und ekklesiologischen Lehre gewöhnlich nicht unter dem Titel „Toleranz" verhandelt. In der Fachsprache ist nämlich dieses Wort seit vielen Jahrhunderten benutzt, um ein wünschenswertes Verhältnis des Staates und der profanen Gesellschaft zu den religiösen Gesinnungsüberzeugungen und Vergesellschaftungen, zu Religionsgemeinschaften und Kirchen und darüber hinaus ein solches Verhältnis solcher religiösen Gruppen untereinander zu bezeichnen. Der Staat soll die einzelnen Religionsgemeinschaften innerhalb seines Bereiches „tolerieren", selbst unter der anfechtbaren Voraussetzung, es gäbe in ihm eine „Staatsreligion", er solle allen seinen Bürgern tolerant dasselbe Recht auf freies Bekenntnis und religiöse Vergesellschaftung einräumen, dürfe eine einzelne solche Gemeinschaft nicht bevorzugen und diese religiösen Gemeinschaften und Kirchen müßten in ihrem Verhältnis untereinander diese Haltung der bürgerlichen Gesellschaft und des Staates respektieren. Während man (vor allem seit der Reformation) bei diesem Begriff, der eigentlich die Freiheit der religiösen Überzeugung und deren Recht auf Vergesellschaftung schützen wollte, zunächst doch davon ausging, daß es eine Religion des Fürsten, des Staates als solchen gäbe und von daher eben die übrigen Religionsgemeinschaften innerhalb desselben Staatsgebietes nur Duldung, Toleranz erwarten könnten, trat, vor allem seit der

Französischen Revolution, der Begriff einer zu allen solchen Überlegungen vorgängigen Gewissensfreiheit und Koalitionsfreiheit der einzelnen nach ihrem Gewissen und der Begriff einer profanen Gesellschaft, die sich auf rein innerweltliche Zwecke begrenzt, in den Vordergrund. So konnte der Begriff der Toleranz aus der Kontroverse um die konkrete Gestaltung der weltanschaulichen Gewissensfreiheit und religiösen Koalitionsfreiheit ausscheiden und diese Rechte der Freiheit ohne den Begriff „Toleranz" umschrieben werden. Während die in der Kirche traditionelle Lehre über das richtige Verhältnis des Staates zu den einzelnen Religionsgemeinschaften seines Gebietes bis zum Zweiten Vatikanischen Konzil sehr fundamental mit dem Begriff der Toleranz arbeitete, weil die wahre Religion und die wahre Kirche nicht anderen religiösen Gemeinschaften dieselben objektiven Rechte zugestehen könne und sie vom Staat an sich die Respektierung dieses besonderen Rechtes fordern müsse und also höchstens eine „Duldung" den anderen Religionsgesellschaften zugestehen könne, arbeitet die Erklärung über die Religionsfreiheit des Zweiten Vatikanischen Konzils „Dignitatis humanae" in ihren Darlegungen der religiösen Gewissens- und Koalitionsfreiheit ohne den Begriff der Toleranz, setzt den weltanschaulich neutralen Staat als heute gegebenen Normalfall voraus, der grundsätzlich von vornherein allen Religionsgemeinschaften, die nicht gegen die innerweltlichen Ziele des Staates und der profanen Gesellschaft verstoßen, die gleichen, nicht vom Staat, sondern von der Würde des freien Menschen herkommenden Rechte zugesteht.

Wenn somit schon von dieser Geschichte des Begriffs „Toleranz" her dieser Begriff mit Vorsicht zu verwenden ist, weil er sich ursprünglich auf ein anderes Gebiet und nicht auf das innere Leben einer Kirche als solches bezog und auch dort eigentlich obsolet geworden ist, so kommt noch ein weiterer Grund der Vorsicht in der Verwendung dieses Begriffes hinzu, der auch durchaus eine praktische Bedeutung hat. Wenn wir sagen: Toleranz in der Kirche, beziehen wir diesen Begriff auf eine Gesinnungsgemeinschaft mit einer gemeinsamen „Weltanschauung", mit einer Glaubensüberzeugung, einem verbindlichen Programm für alle, die in freiem Entschluß dieser gesellschaftlich verfaßten Überzeugungsgemeinschaft angehören wollen. Es ist darum selbstverständlich und muß von vornherein betont werden, daß die Regeln einer weltanschaulich pluralistischen profanen Gesellschaft, Toleranz genannt, nicht einfach als Regeln innerkirchlichen Lebens gelten können. Wenn auch in der Kirche von Toleranz geredet werden soll, kann bei dieser Verwendung des Begriffes von vornherein nicht einfach das Gleiche gemeint sein wie bei Toleranz in der bürgerlichen Gesellschaft, wenn dadurch natürlich auch nicht geleugnet wird, daß diese beiden sehr wesentlich verschiedenen Toleranzen auch noch ein Gemeinsames haben, einfach darum, weil es sich in beiden Fällen um Menschen handelt, die Respektierung ihres Gewissens, Gerechtigkeit und Liebe fordern können. Aber eine Gesinnungs- und Überzeugungsgemeinschaft hat auch in der Dimension ihrer Vergesellschaftung und ihrer Strukturen ein anderes Wesen als eine profane Gesellschaft, die von vornherein letzte weltanschauliche Haltungen und Entscheidungen aus ihren Zielen und Aufgaben ausscheidet. Sogar eine politische Partei mit einem Programm hat andere Regeln „toleranten" Zusammenwirkens ihrer Mitglieder als ein profanpluralistischer Staat von heute, sie kennt eine Verpflichtung auf ein Parteiprogramm, praktiziert unter Umständen einen Ausschluß eines Parteimitgliedes wegen eines erheblichen Verstoßes gegen dieses ihr Programm. All das kann grundsätzlich nicht als Intoleranz verworfen werden. Das gilt darum auch für die Kirche, und zwar in einem wesentlich höheren Maß, weil auch das ursprüngliche Selbstverständnis der Kirche nicht einfach durch eine freie Vergesellschaftung von unten konstituiert ist, sondern einer solchen vorgegeben ist, auch wenn das Eintreten oder Ausscheiden bezüglich dieser Gemeinschaft der freien Verantwortung des Einzelnen anheimgegeben ist, und zwar nach dem Selbstverständnis dieser Kirche selbst und nicht nur von der Würde der freien Einzelpersonen als solcher. Es muß also von vornherein davor gewarnt werden, die Normen und das menschliche Pathos einer profanen bürgerlichen Toleranz einfach und unbesehen in die Kirche hinein übertragen zu wollen und alles Handeln des Amtes in der Kirche denen gegenüber, die Mitglieder dieser Kirche frei sein wollen, schon darum eventuell zu verurteilen, weil es der Mentalität und den Verhaltensnormen einer bürgerlichen, pluralistischen und von daher toleranten Gesellschaft nicht oder nur teilweise entspricht. Jedenfalls also kann eine Theologie der Toleranz in der Kirche nicht einfach durch die Übertragung der Normen der Toleranz in der bürgerlichen Gesellschaft und der Begründung dieser bestehen. Diese Theologie muß eigens und von dem Wesen der Kirche her begründet werden. Das ist die schlichte methodische Vorbemerkung, die am Eingang unserer Überlegungen stehen muß.

*

So problematisch also der Begriff Toleranz von seiner geschichtlichen Herkunft wird, wenn er, ursprünglich ganz anderswo situiert, auf das innere Leben der Kirche übertragen wird und sosehr er dann eigens theologisch begründet werden muß, wird diese Übertragung doch einfach darin ihren Sinn und ihr Recht haben, daß es zweifellos in der Kirche zu allen Zeiten und erst recht heute Fragen, Schwierigkeiten, Aufgaben, Kämpfe und Forderungen gegeben hat, die man alle zusammen durch das Wort Toleranz signalisieren kann. Toleranz kann natürlich, genaugenommen, nur das Stichwort für eine unter vielen Arten der Konfliktbewältigung in der Kirche sein; das muß später noch deutlicher werden. Aber man kann gewiß mit diesem Stichwort irgendwie zunächst einmal alle Konflikte und Reformationswünsche in der Kirche signalisiert erachten, sie mustern und dann fragen, ob und wie zur Bewältigung solcher Konflikte so etwas wie Toleranz erfordert sei, welches Wesen und welche Grenzen solche Toleranz haben müsse, damit sie für eine solche Konfliktbewältigung tauglich sei. Daß es solche Konflikte in der Kirche gibt und immer gegeben hat, ist natürlich eine bare Selbstverständlichkeit. Die Dogmengeschichte und die Ketzergeschichte, die Geschichte des kirchlichen Rechtes, die Geschichte des Verhältnisses zwischen Papsttum und Episkopat, die Geschichte der Liturgie, selbst die Geschichte der Spiritualität beweisen dies, selbst wenn wir unserem Thema gemäß absehen von den Konflikten zwischen Kirche und Staat, zwischen Kirche und profaner Gesellschaft, Kultur und Wissenschaft. Blicken wir nur auf unser eigenes Jahrhundert. Da ist der Streit zwischen Rom und der Bewegung von Le Sillon unter M. Sagnier, der Streit zwischen der Berliner und der Trierer Richtung bezüglich der Gewerkschaften und der katholischen Arbeitervereine, da sind die großen Kämpfe, die unter dem Stichwort Modernismus und Modernismusverurteilung, unter dem Stichwort Reformkatholizismus und unter dem Wort „Literaturstreit" gingen (natürlich Konflikte von höchst verschiedenem Gewicht). Da sind Stichworte fällig wie Integralismus, Kampf zwischen verschiedenen neuscholastischen Richtungen in Philosophie und Theologie, der auch das römische Lehramt einbezog, Konflikte, die den Namen eines Newman, Erhard usw. tragen; Zensurierungen oder Verdächtigungen von Männern wie Hummelauer, Lagrange usw. Da ist in den letzten 25 Jahren „Humani generis" mit seiner Verurteilung der Nouvelle Théologie, gesellschaftspolitische Differenzen unter den Katholiken, und in jüngster Zeit Konflikte zu nennen, wie sie um Küng, Kripp, Schupp, den Abt von St. Paul in Rom, die Katechismusgruppe in Florenz, um Horst Hermann in Münster und viele andere geführt wurden. Da sind die bekannten Konflikte zwischen den sogenannten Konservativen und Progressiven, da sind Konflikte, die (zu Recht oder zu Unrecht) als repräsentiert betrachtet werden durch Zeitschriften wie „Concilium", „Communio"; da sind die Kämpfe um die Liturgiereform, der Streit um den priesterlichen Zölibat, um pastorale Fragen, wie um die richtige Weiterführung der katholischen ökumenischen Bewegung mit der Frage der Interkommunion und der Anerkennung der Ämter in den anderen Kirchen, moraltheologische Fragen, besonders hinsichtlich konkreterer Maximen auf dem Gebiet der menschlichen Geschlechtlichkeit, bezüglich der pastoralen Behandlung wiederverheirateter Geschiedener, da sind auf niedrigerer Ebene und in einer religiösen Subkultur Generationskonflikte in der Kirche über die konkrete Gestaltung des Ordenslebens, zwischen Autorität und Freiheit, Kämpfe um Anerkennung oder um Ablehnung enthusiastischer Strömungen, von Erscheinungen und Prophezeiungen, von Andachtsformen usw., Kämpfe theoretischer und administrativer Art, wie etwa um die „politische Theologie", die „Theologie der Befreiung", wie um PUBLIK und überhaupt um die Medienarbeit der Kirche. Wir haben so viele Stichworte genannt und noch mehr vergessen oder unerwähnt gelassen. Das eben Gesagte sollte nur für unser Bewußtsein bei den Überlegungen hier und jetzt etwas Hintergrund und Atmosphäre für diese Überlegungen andeute, nicht aber eine auch nur von Ferne erschöpfende Aufzählung solcher kirchlichen Konflikte in der Gegenwart versuchen. Daß es solche Konflikte gibt, ja daß sie gar nicht von vornherein vermieden werden können, das hat das Zweite Vatikanische Konzil anerkannt, wenn es die Kirche als eine Ekklesia semper reformanda bezeichnet. Wenn auch bei allen solchen Konflikten Gott und der Teufel meist im Detail stecken, sie also grundsätzlich meistens nicht, selbst nicht bei scheinbar rein theoretischen Konflikten, allein durch theoretische Reflexion bereinigt werden können, so können doch hier selbstverständlich nicht die einzelnen Konflikte in ihrer Konkretheit durchreflektiert und gelöst werden, sondern nur einige zwangsläufig abstrakt bleibende Überlegungen angestellt werden. Solche allein bewältigen die einzelnen Konflikte nicht, sind aber darum doch nicht überflüssig, weil auch solche theoretischen Prinzipien in den konkreten Konfliktsfällen nur zu oft verletzt werden oder unbeachtet bleiben. Entsprechend der traditionellen Unterscheidung zwischen Lehramt und Hirtenamt in der Kirche, zwischen Glauben und Leben, können alle diese Konflikte vielleicht in solche gruppiert werden, die sich auf das Glaubensbewußtsein der Kirche und so auf ihr Lehramt beziehen, und auf solche, die sich mehr auf das kirchliche Leben in Recht, Liturgie, Administration usw. beziehen, auch wenn diese Einteilung bei der Interferenz der beiden Richtgrößen problematisch bleibt und nur schwer durchzuführen ist. Dabei soll die Thematik der Toleranz im engeren Sinne nicht untergehen, wenn auch von vornherein eingestanden sein soll, daß die allgemeinere Frage der Konfliktbewältigung in der Kirche unvermeidlich das eigentliche Thema der Toleranz sprengt.

I.

Bevor wir entsprechend der eben angekündigten Einteilung von der Bewältigung von Lehrkonflikten und Lebenskonflikten in der Kirche getrennt zu sprechen suchen, sind aber noch einige Überlegungen im voraus anzustellen über die letzten allgemeinen Ursachen solcher Konflikte und über allgemeine Regeln ihrer Bewältigung, die die spätere Klassifizierung solcher Konflikte übergreifen.

1. Wenn wir zunächst, ohne den Anspruch einer klar durchdachten Systematik zu erheben, etwas von den *allgemeinsten Ursachen* solcher innerkirchlichen Konflikte zu sagen suchen, dann ist die letzte Absicht dabei darin gelegen, eine grundsätzliche Unvermeidbarkeit solcher Konflikte deutlich zu machen, weil dadurch gerade das letzte Wesen der Toleranz, nämlich das geduldige Aushalten solcher Konflikte, ihr Ertragen ins Licht kommen kann. Die letzte Ursa-

che aller solcher Konflikte in der Kirche liegt in der unintegrierten Pluralität der Bewußtseine der Menschen überhaupt und so auch in der Kirche. Das Bewußtsein jedes Menschen ist aus genetischen, gesellschaftlichen, individualgeschichtlichen Gründen heraus endlich und begrenzt und darum von dem jedes anderen unvermeidlich und unüberholbar verschieden und bleibt es auch bei aller möglichen und seinsollenden intensiven Kommunikation dieser Bewußtseine untereinander. Das ist die Grenze und die Würde jedes Menschen in seiner Jeeinmaligkeit. Er ist nie die bloße Wiederholung einer allgemeinen Idee; seine Konkretheit gegenüber der allgemeinen Idee von Mensch und Christ ist nicht nur das Unwesentliche, Zufällige und Verwesende, sondern auch die Einmaligkeit seiner Freiheit und seiner Geschichte, die ein ewig gültiges Seinsollendes ist. Paulus hat darauf schon reflektiert in seiner Lehre von der Vielfalt der Charismen in dem einen Leib Christi und diesen Pluralismus als von Gott gegeben und seinsollend anerkannt. Dieser Pluralismus menschlicher, geschichtlich bedingter und endlicher Bewußtseine läßt sich nun nicht von einem Punkt innerhalb der Geschichte selbst aus (repräsentiert z. B. durch die oberste Leitung der Kirche) und mittels eines Systems formaler Regeln der Harmonisierung eines Pluralismus adäquat zu einer für uns durchsichtigen Einheit integrieren. Denn solche Regeln erfassen in ihrer immer bleibenden Allgemeinheit die Konkretheit der einzelnen Bewußtseine nie adäquat, und, was noch wichtiger ist, ein menschlich greifbarer und handlungsmächtiger Punkt als Instanz solcher Harmonisierung wäre, selbst auch bei Voraussetzung einer Assistenz durch den Geist der Kirche selber, wieder eine partikuläre Größe innerhalb der Geschichte mit einem partikulären Bewußtsein. Oft wird in der kirchlichen Praxis der Schlichtung der Konflikte zwischen den einzelnen Bewußtseinen diese Selbstverständlichkeit übersehen oder verdrängt. Natürlich gibt es Entscheidungssubjekte und Entscheidungen mit Vollmacht, durch die Konflikte in einer bestimmten Weise und in einer gewissen Vorläufigkeit (positiv und negativ verstanden) bereinigt werden können und müssen und für die einzelnen Bewußtseine verbindlich sind. Aber sie homogenisieren nie adäquat und endgültig den Pluralismus der Bewußtseine, lassen (und zwar auch in der Dimension theoretischer Entscheidungen) diesen Pluralismus immer noch bestehen, verändern ihn, schaffen aber solche Konfliktsituationen unter den pluralen Bewußtseinen nicht einfach ab. Das muß später, wenn wir uns zu einzelnen Konfliktsituationen hinwenden, noch deutlicher werden. Hier mußte zunächst nur ganz allgemein auf diesen letzten Grund von Konflikten in der Kirche aufmerksam gemacht werden, weil er, wie gesagt, auf das innerste Wesen der Toleranz hinweist, die letztlich nicht eine Haltung auf einen bestimmten anderen in dessen abweichender Theorie und Praxis hin bedeutet, sondern das Ertragen der letztlich immer unintegrierten und unintegrierbaren Geschichtlichkeit der Kirche, die noch nicht das vollendete Reich der Versöhnung und Einheit ist, in Geduld und Hoffnung. Es ist hier in der Kirche letztlich wie beim einzelnen Menschen je für sich. Der einzelne Mensch steht unter dem Gesetz einer gnoseologischen und moralischen Konkupiszenz, d. h. in einem Pluralismus sowohl von Erfahrungen und Meinungen wie auch von richtigen und unrichtigen Antrieben, die er nicht adäquat integrieren kann, solange er noch seine Individualgeschichte treibt, auch wenn er natürlich verpflichtet ist, auf eine Versöhnung und Integrierung dieser Konkupiszenz asymptotisch hinzustreben, um die endgültige Versöhnung seiner Wirklichkeit im geglückten Tod von seiten Gottes zu erwarten. Seine „agonale" (ein Wort des Trienter Konzils) Situation und Verfaßtheit muß der einzelne Mensch in Geduld, in Toleranz seiner selbst annehmen und aushalten, ohne kurzschlüssig zu meinen, er könne in seiner Theorie ein alles integrierendes System seiner Erkenntnis oder ein schon jetzt alles versöhnendes Handlungsmuster seiner Praxis erzwingen. Eine solche theoretische und praktische agonale Konkupiszenzsituation ist darum erst recht in der Kirche gegeben, in der viele solche Bewußtseine zu einer in der Geschichte immer vorläufig bleibenden Einheit zusammentreten.

Ein zweiter Grund für solche Konflikte in der Kirche ist in der Sündigkeit der Kirche gegeben. Die heilige Kirche bekennt sich immer auch gleichzeitig als sündige Kirche der Sünder, ohne daß nun hier das Problem behandelt werden kann, in welchem Sinn diese beiden Aussagen von der heiligen und sündigen Kirche nebeneinander koexistieren können. Diese Sündigkeit affiziert immer auch die Träger von Entscheidungen in der Kirche, kann also auch solche Entscheidungen mindestens mitprägen, und zwar auch dann noch, wenn diese Entscheidungen grundsätzlich in legitimer Vollmacht getroffen werden und Rechtens sind. Denn auch dann noch können sie voreilig, lieblos sein, kann durch Schuld verhindert werden, daß sie das an sich mögliche Maß an Differenziertheit und Ausgewogenheit erreichen. Es ist natürlich nicht so, daß solche Sündigkeit sich nur bei den Amtsträgern bei Bewältigung von Konfliktsituationen auswirken kann und oft auswirkt. Egoismus, Ungeduld, Lieblosigkeit, schuldhafte Kurzsichtigkeit und viele andere Sündigkeit kann und wird es natürlich ebensooft auf der anderen Seite bei einem Konflikt geben. Weil diese Sündigkeit der Kirche nicht bloß ein Gegenstand menschlicher Empirie ist, sondern Gegenstand des Glaubens, der gegen die menschliche Eigenliebe die Schuldigkeit aller Menschen nicht verdrängt, sondern annimmt und Konsequenzen daraus zieht, ist das Rechnen mit dieser Sündigkeit eine spezifisch christliche Aufgabe und Forderung, die Demut und Vergebungsbereitschaft impliziert, also in einem verschärften Sinne Toleranz dieser Sündigkeit gegenüber erfordert. Das ungeduldig donatistische Postulat einer nur heiligen Kirche, in der nichts mehr bloß zu tolerieren ist, kann keine Voraussetzung für eine echte Konfliktbewältigung in der Kirche sein.

Ein dritter Grund für Konflikte in der Kirche, der eng mit dem ersten Grund zusammenhängt, liegt in der epochalen und somit kulturellen und gesellschaftlichen Ungleichzeitigkeit der Bewußtseine. Diese leben und handeln gar nicht immer und notwendig aus derselben geschichtlichen Situation heraus, auch wenn sie uhrzeitlich koexistieren. Die Mentalitäten der einzelnen Gruppen in der Kirche stammen kulturell, gesellschaftlich und epochal aus verschiedenen Zeiten, auch wenn sie gleichzeitig gegeben sind; sie sind darum unvermeidlich verschieden, ohne daß man von vornherein und in jeder Hinsicht sagen könnte, eine bestimmte Mentalität, z. B. eine moderne, sei jetzt die allein berechtigte. Die Verschiedenheit solcher kulturellen und epochalen Mentalitäten in der Kirche und zumal in einer Kirche, die eine und zugleich Kirche in aller Welt, in allen Kulturen bei deren Ungleichzeitigkeit sein soll, schafft darum unvermeidlich Konfliktsituationen, die bei der Unaufhebbarkeit dieser Verschiedenheit immer nur auch mit Toleranz, d. h. mit einem Geltenlassen dieser Verschiedenheit, bestanden werden können. Dazu hier noch gleich eine zusätzliche Bemerkung. Paulus betont in seiner Toleranztheologie, d. h. in seiner Lehre von der Vielfalt verschiedener Charismen in der Kirche, die trotz dieser Vielfalt eine sein soll, daß nicht jeder jedes Charisma besitzt. Wenn dies aber, was an sich selbstverständlich ist, wirklich ernst genommen wird, dann folgt daraus, daß in jedem Träger eines Charismas, einer Sendung und Aufgabe in der Kirche, einer bestimmten Mentalität ein letztes Nichtverstehenkönnen des Charismas, der Sendung und der Mentalität eines *anderen* bestehen muß, eine letzte Fremdheit, die nicht behoben werden kann, sondern nur in einer sich selbst vergessenden Liebe, in Geduld, also in Toleranz, hingenommen werden kann. Denn eigentlich verstehen kann man nur das, was man als das eigene sich selber aneignen kann. Und darum ist das Geltenlassen einer individuellen, kulturellen, epochalen Andersartigkeit immer nur in der Toleranz möglich, die das fremde andere als das des Anderen als solchen gelten läßt, ohne es schon in dieser unversöhnten Geschichte als das eigene besitzen zu können.

Bevor wir im einzelnen und konkreter auf die Lehrkonflikte und Lebenskonflikte in der Kirche eingehen können und uns dabei zu fragen haben, welche Aufgaben und Grenzen die Toleranz im engeren Sinne des Wortes hat, sind einige Grundsätze zu formulieren, die für alle solche Konflikte gemeinsam gelten und irgend etwas mit Toleranz zu tun haben.

2. Alle Konflikte und Konfliktbewältigungen müssen christlich verstanden und gelebt werden. Das heißt a) zunächst einmal: unter Respektierung der Würde und der Freiheit des Gewissens. Dieser selbstverständliche Satz, der gerade auch gegen einen falschen Objektivismus im Zweiten Vatikanischen Konzil von der Kirche mutiger und deutlicher als Norm der Kirche selbst in ihrem Handeln erfaßt wurde, ist natürlich nicht gemeint als Proklamation von Willkür und Subjektivismus, von Beliebigkeit, die jedwede Subjektivität, Kurzsichtigkeit und Weigerung, sich an der gründlich erforschten jeweiligen Sache zu orientieren, zu Gewissen und Gewissensfreiheit hochstilisiert. Dieser Vorbehalt ändert aber auch nichts daran, daß das Gewissen und die Berufung des einzelnen auf es eine letzte Instanz ist, die nicht eliminiert oder überholt werden kann, daß auch objektiv falsch urteilendes Gewissen (bezüglich einer konkreten Materie) zu respektieren ist und im konkreten Fall die Frage, ob ein echtes (mindestens subjektiv nicht überholbares) Gewissensurteil oder ein Fall subjektivistischer Willkür und Eigensinns vorliegt, nochmals dem einzelnen selbst als letzte Instanz unter Gott anheimgegeben werden muß. Gewissensfreiheit in diesem Sinn ist absolut zu respektieren, auch in Sachen der Religion und des Verhältnisses des einzelnen zur Kirche. Das heißt: Es darf nicht versucht werden, anders als mit den Mitteln der Argumentation

einem Menschen eine religiöse Überzeugung mitzuteilen oder ihn zu einem äußeren Bekenntnis oder einem äußeren Verhalten zu veranlassen, das seiner Gewissensentscheidung widerspricht. Dies alles aber ist im allgemeinen und im Bezug auf die Kirche nur der eine Teil der Wirklichkeit, um die es sich hier handelt. Freiheit des einzelnen ist immer eine in Leiblichkeit, Raumzeitlichkeit und darum auch eine mit gesellschaftlicher Relevanz vollzogene; sie nimmt daher immer einen Freiheits*raum* physischer und gesellschaftlicher Art für sich in Anspruch. Diesen Freiheitsraum teilt aber ohne eindeutige und ein für allemal feststehende Grenzen die Freiheit des einen mit der Freiheit aller anderen, die für sich Freiheit beanspruchen, die sich im selben Freiheitsraum vollziehen muß. Freiheit im genannten Sinn ist daher von sich her absolut und unbedingt, aber nicht der Raum ihres jeweiligen Vollzugs. Freiheit kann sich wegen der Begrenztheit des Freiheitsraums und wegen dessen Inanspruchnahme durch andere Freiheiten nicht in jeder beliebigen Weise unbegrenzt vollziehen. Verteidigung und Inanspruchnahme des Freiheitsraums durch eine Freiheit ist immer und unweigerlich die Begrenzung des Freiheitsraumes des anderen, der die Möglichkeiten desselben Freiheitsraumes in Anspruch nehmen will. Wenn wir, wenn auch sehr abstrakt und grundsätzlich, „Gewalt" definieren als die Veränderung des Freiheitsraums eines anderen durch Freiheit ohne vorgängige Zustimmung desjenigen, dessen Freiheitsraum verändert oder auch eingeengt wird, dann ist in diesem Sinn Gewalt nicht von vornherein und in jedem Fall eine unmoralische Verletzung der Freiheitswürde eines anderen, sondern entspringt dem Wesen der menschlichen Freiheit selber, aus der Pluralität und Spontaneität vieler Freiheitssubjekte im selben Freiheitsraum. Dabei ist natürlich auch der Fall einzukalkulieren, daß viele Freiheitssubjekte sich zusammenschließen zu einer Gruppe, einer in Freiheit konstituierten Gemeinschaft und Gesellschaft und eine solche Gruppe als eine den Freiheitsraum von anderen im voraus zu deren Zustimmung verändert. Von dieser eben nur angedeuteten Metaphysik der Freiheit und auch der Gewalt her ergibt sich nun deutlicher, was schon einmal kurz angedeutet wurde: Es kann in der Kirche nicht zur legitimen Freiheit des einzelnen, der an sich zur Kirche gehören will, zählen, daß er jedwede denkbare Meinung oder Handlung in der Kirche als solcher verlautbart oder setzt. Einen solchen absolut unbegrenzten Freiheitsraum in der Kirche kann die Freiheit des einzelnen auch nicht unter Berufung auf das Gewissen in der Kirche in Anspruch nehmen. Die Kirche ist eine Gesinnungsgemeinschaft mit einem bestimmten Selbstverständnis und „Programm“. Wer in Überzeugung oder Handlung fundamental gegen dieses Selbstverständnis und Programm der Kirche verstößt, kann zwar, wenn er dadurch nicht auch gegen das bürgerlich-gesellschaftlich definierte und begrenzte Gemeinwohl der profanen Gesellschaft verstößt, in der bürgerlichen Gesellschaft unter Berufung auf sein Gewissen seine Überzeugung äußern und dementsprechend handeln, er kann aber nicht verlangen, daß er diese Überzeugung und die ihr entsprechende Handlung in der Kirche als solcher vollzieht. Dazu hat er auch bei Berufung auf sein Gewissen kein Recht. Er würde nämlich gegen die Freiheit und den Freiheitsraum derer verstoßen, die diese gesellschaftlich organisierte Gesinnungsgemeinschaft, diese Glaubensgemeinschaft in freiem Zusammenschluß konstituiert haben. Respektierung der Freiheit des einzelnen, deren „Toleranz“ fordert also gewiß, daß dem einzelnen ohne bürgerliche Nachteile gestattet sein muß, aus einer solchen freien Überzeugungsgemeinschaft auszuscheiden, wenn sein Gewissen in einen fundamentalen Widerspruch zu der Überzeugung dieser Gemeinschaft gerät, kann aber nicht beinhalten, daß ein solcher trotz seiner fundamentalen Gewissensdiskrepanz mit der Überzeugung dieser Gemeinschaft in ihr bleibt und *in* ihr seine Überzeugung vertritt.

Dabei ist von einem katholischen Kirchenverständnis

aus noch folgende Präzision hinzuzufügen: Die Entscheidung darüber, ob jemand in Theorie oder Praxis gegen die Substanz des Glaubensbewußtseins der Kirche oder gegen die für ihr Leben notwendige Einheit verstoßen hat oder nicht, liegt nicht so bei dem Ganzen dieser freien Glaubensgemeinschaft, daß diese doch wieder kein konkret handlungsfähiges Subjekt für eine solche Entscheidung hätte, nur die undifferenzierte Masse der Glieder diese Entscheidungsbefugnis besäße. Vielmehr kommt eine solche Entscheidung dem *Amt* in der Kirche mit seiner Vollmacht zu, dieses gemeinsame Glaubensbewußtsein verbindlich zu artikulieren und die Einheit der Kirche im Leben wirksam zu repräsentieren. Eine solche Entscheidung durch das konkrete Amt in der Kirche kann zwar im Einzelfall einem einzelnen Christen und seinem Meinen und Handeln gegenüber irrig sein (wenn es sich nicht um einen von *beiden* Seiten her *offenen* und anerkannten Widerspruch zwischen einem definierten Dogma und der Überzeugung des Betreffenden handelt), sie ist aber auf jeden Fall in der Öffentlichkeit der Kirche zu respektieren und darf nicht mit der Berufung darauf in dieser Öffentlichkeit illusorisch gemacht werden, daß sie objektiv irrig sei oder sich nicht aus dem wirklichen Glaubensbewußtsein der Kirche oder der Erfordernis ihrer Einheit ergäbe, auch wenn der betroffene Einzelne immer noch das Recht hat, an das besser zu unterrichtende Amt in der Kirche aufs neue zu appellieren. Kurz: Die Freiheit des Gewissens legitimiert, wo es sich um die Substanz des Glaubens der Kirche und um ihre Lebenseinheit handelt, es nicht, daß alles und jedes in der Kirche gelehrt und getan werden kann. An sich ist dieser Satz eine Selbstverständlichkeit, auch wenn er den Freiheitsraum des einzelnen und seines Gewissens in der Kirche begrenzt, und wird als selbstverständlich in allen Gesinnungsgemeinschaften und -gesellschaften überall in der Welt praktiziert. Praktisch ist dieser Grundsatz aber doch oft in Gefahr, verletzt zu werden. Überall dort nämlich, wo eine bestimmte solche Gemeinschaft ein

gewisses gesellschaftliches Potential von Macht und Einfluß
in der Gesellschaft überhaupt hat, liegt die Versuchung
nahe, eine solche Gemeinschaft zu unterwandern, umzufunktionieren, ihr einerseits anzugehören, diese Mitglied-
schaft aber nicht im Sinne dieser Gemeinschaft, sondern zu
einer fundamentalen Veränderung dieser Gemeinschaft zu
benutzen, um so mit einem ganz anderen Programm in den
Besitz des Machtpotentials dieser Gemeinschaft zu gelan-
gen. Natürlich hat eine echte und lebendige Gesellschaft
auch Prinzipien ihrer geschichtlichen Veränderung bei Auf-
rechterhaltung ihrer fundamentalen Identität bei sich. Und
darum kann es grundsätzlich in jeder Gesellschaft und so
auch in der Kirche Bestrebungen geben, sie unter Berufung
auf diese Prinzipien selbst zu verändern, auch wenn dies
dann praktisch unter Konflikten geschehen mag. Aber wo
eine Unterwanderung und Umfunktionierung einer bestimmten Gesinnungsgemeinschaft gegen ihr letztes Programm und auch gegen Veränderungsprinzipien dieser Gemeinschaft selbst, letztlich also revolutionär, versucht wird,
bedeutet dies eine wesentliche Verletzung der Freiheit derer, die durch ihre Gewissensentscheidung diese Gemeinschaft und ihr Programm real konstituieren, ist so etwas unsittlich, und diese Gemeinschaft hat das Recht, sich dagegen
zu wehren, eben durch die ,,Gewalt" des Ausschlusses. Solche ,,Gewalt" bedeutet keine Verletzung der Freiheit der
diese Umfunktionierung Versuchenden, bedeutet keine Intoleranz in einem schlechten Sinn. In einer Gesinnungsgemeinschaft wie der Kirche braucht nicht alles möglich zu
sein; Freiheit in einer Kirche braucht nicht Respektierung
von allem und jedem, das einer in Berufung auf sein Gewissen als legitim oder erstrebenswert erklärt, auch wenn die
Freiheit, der Kirche anzugehören oder aus ihr auszuscheiden, absolut respektiert werden muß und die Kirche dieses
Recht nicht durch Anwendung von Macht und Gewalt be-
grenzen darf, auch wenn mit der Einräumung dieser Freiheit
die Interpretation theologischer Art bezüglich des Verhält-

nisses eines Getauften, der aus der Kirche ausscheidet, noch eine weitere und hier offengelassene Frage ist. Jedenfalls aber ist die früher traditionelle Lehre der Kirche, daß sie gegenüber einem solchen getauften Dissidenten ein größeres legitimes Recht auf Macht und Gewalt habe als gegenüber einem Ungetauften, heute nach dem Zweiten Vatikanischen Konzil überholt. Sie hat seine Freiheit, aus der Kirche in einem gesellschaftlichen Sinne auszuscheiden, schlechthin zu respektieren; sie muß vorsichtig und genau prüfend nur im wirklich zwingenden Fall auf einen solchen Ausschluß erkennen; die Kirche soll einem solchen, den sie aus ihrer Gemeinschaft ausschließt, in christlicher Liebe sogar helfen, damit die fast unvermeidlichen Folgen mehr profaner Art (Amtsverlust, Schwierigkeit eines neuen Berufes usw.) für ihn weniger groß und fühlbar werden; sie hat aber auch einem solchen „Dissidenten" gegenüber die Freiheit ihrer selbst als Gesinnungsgemeinschaft wahrzunehmen und kann gegen Mitglieder, die sie umzufunktionieren versuchen (in Theorie oder Praxis), den Spruch des Ausschlusses fällen. Damit sind selbstverständlich bisher nur ganz allgemeinste Prinzipien hinsichtlich der Freiheit des einzelnen in der Kirche formuliert. Denn es ist noch nicht geklärt, wann nicht und wann doch das „Gewissen" des einzelnen, das respektiert werden muß, wirklich in einen fundamentalen Konflikt mit der Gesinnungsgemeinschaft Kirche kommt, und es sind noch keine Prinzipien formuliert bezüglich aller jener Konflikte in Theorie und Praxis, die es in der Kirche geben kann und gibt, ohne daß sie die fundamentale Einheit der Kirche in Frage stellen. Aber von all dem soll erst später gesprochen werden, wenn von den Lehrkonflikten und Lebenskonflikten im einzelnen gehandelt werden soll.

Was die allgemeinsten Prinzipien für die Bewältigung von Konflikten in der Kirche durch „Toleranz" angeht, ist b) zweitens zu sagen, daß zu diesen Prinzipien für alle Seiten die Forderung der christlichen Tugenden gehört. Solche

Konflikte können mit anderen Worten in der Kirche nur bewältigt werden, wo die goldene Regel der Bergpredigt, wo Liebe, Selbstlosigkeit, Demut, Bereitschaft zum Dienst, Respekt vor der inkommensurablen Würde des einzelnen, vor seinem je einmaligen und darum gar nicht von einem anderen adäquat verstehbaren Charisma, wo Respekt vor der Würde und dem legitimen Gewicht der Vergangenheit *und* vor der fordernden und nie adäquat vorauskalkulierbaren Zukunft und so vor der durch keine menschliche Instanz letztlich verwaltbaren Verfügung des einzigen Herrn der Geschichte, Gott, anerkannt und lebendig gelebt werden. Das ist eine Selbstverständlichkeit und doch keine Binsenwahrheit, die für das konkrete Leben in der Kirche keine Bedeutung hätte. Der Mensch soll zwar auch in der Kirche planen, Regeln der Konfliktbewältigung institutionalisieren, die möglichst weitgehend diese Konfliktbewältigung von der Subjektivität und dem guten Willen der Menschen in der Kirche unabhängig machen. Es soll möglichst weitgehend argumentiert und nach transparenten rechtlichen Prinzipien vorangegangen werden, und diesbezüglich kann und soll in der Kirche für eine faire und sachliche Konfliktbewältigung noch viel getan werden. Es ist nicht zu verkennen, daß Amtsträger in der Kirche solchen Bestrebungen gegenüber oft zu allergisch sind, solche argumentativen und sauber rechtlichen Methoden einer Konfliktbewältigung nicht ungern mit Berufung auf ihre höhere Weisheit und auf ihr Gewissen zu vermeiden trachten, während sie im umgekehrten Fall, wenn ein anderer sich auf sein Gewissen beruft, sagen, ein solches Gewissen sei nicht objektiv richtig und es müsse sachlich argumentiert werden. Es ist zu beobachten bis in die neueste Zeit hinein, daß man in Rom nicht viel übrig hat für eine auch für den Außenstehenden greifbare Transparenz der sachlichen Argumentation, die man auch den römischen Behörden grundsätzlich gerne zubilligen will. (So sind die ,,Periti" der Glaubenskongregation, die früher im Annuario Pontificio verzeichnet waren, neuestens wieder in eine Anonymität verschwunden; niemand weiß, wer die konkreten Verfasser der neuesten Erklärung der Römischen Glaubenskongregation über die Sexualmoral waren, von der vor ihrer Veröffentlichung offenbar auch Kardinäle, die Mitglieder dieser Kongregation sind, nichts gewußt haben.) Aber trotz all dem bleibt es so: In sehr vielen, wenn nicht letztlich allen Fällen lassen sich Konfliktfälle nicht mit den Regeln der Logik, mit bloßer Sachargumentation, mit Institutionalismen für Konfliktbewältigung *allein* eindeutig regeln. Es bleibt meist oder immer ein Raum des Ermessens und der Unsicherheit, des Defizits an für jeden einsichtig zwingenden Beweisen, der Unklarheit, der Möglichkeit, daß in einem solchen Konflikt Sachgesichtspunkte nicht gesehen oder in ihrem Gewicht über- oder unterschätzt werden. In diesem Dunkelraum um rationale Erwägungen herum kann sich nun aber, ohne daß dies zwingend nachgewiesen werden kann, die Sündigkeit, d. h. Egoismus, Kurzsichtigkeit, Härte und Lieblosigkeit, Feigheit usw.; auf beiden Seiten eines Konflikts verstecken. Darum aber kann der Appell an die christlichen Tugenden der Liebe, Demut, Verständnisbereitschaft, Verzichtbereitschaft usw. letztlich nie ganz ersetzt werden durch eine kühle Sachargumentation allein. Diese Sachargumentation darf zwar nicht durch salbungsvolle Sprüche der Amtsträger oder durch emotionale Gereiztheit von der anderen Seite verdrängt oder überspielt werden, wie es nur zu oft geschieht, aber umgekehrt kann eben doch auch der Appell an christliche Tugenden, eventuell in einer prophetisch eindringlichen Weise, durch rationale Sachargumentation allein nicht überflüssig gemacht werden. Auch Amtsträger müssen sich gefallen lassen, daß ihnen „ins Gewissen geredet wird", daß durch einen solchen Appell an christliche Tugenden auch ihre Sachargumentation und ihre Berufung auf ihre formale Autorität nochmals in Frage gestellt werden. Wenn aber so in dieser irdischen Zeit vor dem Gericht Gottes am Ende gar keine greifbare Instanz vorhanden ist, die eindeutig und zwingend durch ihren Spruch garantieren kann, daß eine bestimmte Lösung eines Konflikts menschlich und sachlich in jeder Hinsicht richtig ist, gleichgültig zugunsten welcher Partei in einem die Konfliktlösung ausfällt, wenn aber doch Entscheidungen und in diesem Sinne Konfliktlösungen unvermeidlich sind, auch wenn sie in einem letzten Sinne immer vorläufig bleiben (vorläufig auf die endgültige Versöhnung der Ewigkeit und auf das Gericht Gottes), dann zeigt sich von daher in neuer Weise, was „Toleranz" in der Kirche in einem letzten und umgreifenden Sinne ist. Sie ist nicht zuerst und zuletzt so etwas wie eine Nachgiebigkeit des Amtes gegenüber Meinungen und Forderungen von der anderen Seite, sie ist auch nicht bloß die Respektierung der formalen Autorität durch den, der durch die Sachargumentation der Amtsträger nicht überzeugt wurde, sie ist zutiefst eine verpflichtende Haltung auf beiden Seiten in einem Konflikt, in die Unmöglichkeit einer adäquat rationalen Konfliktlösung in Hoffnung auf die endgültige Versöhnung, die noch aussteht, durchgetragen wird.

3. So wichtig und grundlegend das bisher Gesagte an allgemeinen Regeln der Konfliktbewältigung in der Kirche auch bleibend ist, so muß doch drittens gesagt werden, daß die modernen rationalen Techniken einer Konfliktbewältigung, wie sie in der profanen Gesellschaft in steigendem Maße ausgebildet worden sind und werden, auch in der Kirche ihren Platz haben müssen und noch viel besser, als es bisher geschehen ist, institutionalisiert werden müssen. Solche Forderung hat natürlich die Gefahr einer wachsenden Bürokratisierung der Kirche, eines Parkinsonismus bei sich. Es soll auch nicht verdunkelt werden, daß es nach dem episkopalen Verfassungsrecht der katholischen Kirche Amtsträger mit einer letztlich nicht mehr delegierbaren persönlichen Verantwortung und Vollmacht gibt, die nicht auf „demokratische" Gremien übertragen werden können, zumal so etwas eine absolute rationale Transparenz der Ent-

scheidungen auch nicht gewährleisten würde, weil auch eine „demokratische" Entscheidungsfindung immer auch ihre Grenzen hat und viele Entscheidungen anonym und unkontrollierbar immer schon den Entscheidungsfindungen demokratischer Gremien vorausgehen und doch in die Entscheidungen solcher Gremien einfließen, in denen dann die wahren und eigentlichen vorgängigen Entscheidungen und deren Motivationen gar nicht wirklich zur Sprache kommen. Aber dennoch muß gesagt werden, daß sinnvolle und nüchtern verwendete moderne Techniken einer rationalen Konfliktbewältigung in der Kirche heute am Platz sind: Beratungsgremien, die wirklich angehört werden und mit denen von der Amtsseite her argumentativ und nicht autoritär gesprochen wird; Dialog; Recht auf öffentliche Erörterung von Konfliktfällen und auf Kritik, die nicht immer gleich von den Amtsträgern abgewürgt werden darf mit Berufung auf ihre angeblich bessere Informiertheit, auf eine durch den Heiligen Geist garantierte höhere Weisheit und durch ihre formale Autorität; möglichst guter Informationsfluß; möglichst weitgehende öffentliche Darlegung der Gründe, die zu einer Entscheidung geführt haben; Verfahrensordnungen für die Bereinigung von Konflikten im theoretischen und praktischen Bereich; Möglichkeit von Appellationen bei einer höheren Instanz; Schiedsgerichte verschieden denkbarer Art, wo sie von der Sache her möglich sind; Gewaltenteilung, wenn und wo sie auch in einem erheblichen Maß in der Kirche möglich ist; Klarheit darüber, wo, wann und bei wem die eigentlichen Entscheidungen fallen; Recht der Einsichtnahme in die Dossiers, Personalakten usw. kirchlicher Behörden; Recht auf einen Verteidiger eigener Wahl bei einem Verfahren usw. In all diesen Dingen ist gewiß in der Kirche seit dem letzten Konzil schon einiges geschehen, ohne daß hier auf Einzelheiten eingegangen werden kann. Aber es könnte und müßte doch vermutlich noch vieles in dieser Richtung geschehen. Man sollte hoffen dürfen, daß das zu kodifizierende Kirchenrecht Fortschritte bringt, solche Institutionalismen rationaler Konfliktbewältigung dann auch wirklich praktiziert werden, den Mitgliedern der Kirche bekannt werden, eingeübt werden, selbstverständlich werden und nicht zu oft durch Schnellverfahren überspielt werden.

4. Heutzutage muß etwas Viertes noch ausdrücklicher als bisher gesagt werden gegen solche in der Kirche, die meinen, bei Respekt vor Freiheit, bei Dialogsbereitschaft, beim Willen, „das Gespräch nicht abreißen zu lassen", beim Willen zum offenen Dialog würden sich alle Konflikte in der Kirche auflösen lassen, ohne daß Entscheidungen getroffen werden müssen, die gegen die Überzeugung oder den Willen eines Betroffenen ausfallen. So etwas ist aber eine Utopie und vielleicht nicht einmal eine schöne. Sie hebt letztlich den Pluralismus der Freiheiten in der Geschichte und so auch in einer geschichtlichen Kirche auf, sie leugnet, zu Ende gedacht, die Existenz einer formalen Autorität, die sie *restlos* in die Autorität der Sachargumente aufgehen läßt (was falsch ist), sie leugnet die Vollmacht eines Amtes, das sich vom Wesen der Kirche und somit vom Willen Christi herleitet und nicht einfach durch den übereinstimmenden Willen der Kirchenglieder konstituiert wird, sie ist in der Kirche so unpraktikabel, wie dies letztlich auch in allen profanen Gesellschaften der Fall ist, wo ja auch Entscheidungen gegen die Meinung und den Willen einzelner getroffen werden müssen und es für den Betroffenen in einem solchen Falle auch kein Trost ist, wenn diese Entscheidung statt von einem einzelnen von einem Entscheidungsgremium getroffen wird, bei dem er direkt oder indirekt mitgewirkt hat. Wenn „Herrschaft" (gleichgültig ob sie von einem Gremium oder von einem Einzelnen ausgeübt wird) die schlichte Tatsache bedeutet, daß es Entscheidungen gibt, die notwendig sind und getroffen werden gegen Überzeugung und Willen eines von ihr Betroffenen und sie diesen dennoch binden, dann ist Herrschaft in jeder Gesellschaft

notwendig und unvermeidlich. Und also auch in der Kirche. Wenn solche Herrschaft in der „Heiligen Kirche" notwendig und gegeben ist, dann gibt es eben auch eine „heilige Herrschaft", eine Hierarchie, auch wenn man, besonders seit dem Zweiten Vatikanischen Konzil, sie als „Dienst" verstehen muß und sie nicht autokratisch oder paternalistisch ausüben darf. Daß aber diese Autokratismen und Paternalismen nicht sein sollen und immer wieder neu bekämpft werden müssen wegen der Versuchtheit eines jeden Gewaltenträgers, ändert nichts daran, daß es in dem eben genannten Sinn Herrschaft in der Kirche gibt und geben muß, deren Vollzug auch dann legitim sein kann, wenn er der Überzeugung oder dem Willen eines von ihm Betroffenen widerspricht, daß es Entscheidungen auch in der Kirche in diesem Sinn geben muß. Nochmals: Letztlich sind Härte und Schwierigkeit dieser Tatsache auch nicht dadurch aus dem Weg zu räumen, daß der Träger einer solchen Entscheidung ein Gremium ist, das auf irgendeine demokratische Weise konstituiert wird. So etwas kann die Rationalität und Tranparenz einer solchen Entscheidung bis zu einem gewissen Grad fördern, es hebt aber die immer auftreten könnende Schwierigkeit und Härte eines Konflikts zwischen einer Entscheidung und der Meinung des von ihr Betroffenen grundsätzlich nicht auf. Damit ist wiederum der ursprüngliche Ort von „Toleranz" in der Kirche anvisiert: Sie ist mindestens gleich ursprünglich die Geduld, das nüchterne Rechnen eines Christenmenschen mit der Tatsache, daß ihn Entscheidungen treffen können, die seiner Meinung und Absicht widersprechen, ohne daß dieser Widerspruch in dieser laufenden Geschichte der Kirche sich einfach auflösen läßt, zumal weil ja auch eine nachträgliche und oft auch geforderte äußere und innere Zustimmung des Betroffenen zu einer solchen Entscheidung den vorausgehenden Widerspruch nicht einfach gänzlich auflöst, sondern gegenseitiges Nichtverstehen, Verwundetheit usw. zurückläßt.

II.

Wir kommen nun endlich zu den schon lange angekündigten *Lehr*konflikten in der Kirche, bei denen Toleranz zwar auch gegenseitig, vor allem aber doch von seiten der amtlichen Lehrinstanzen eine Rolle spielen soll und darum hier besonders ins Auge gefaßt werden muß, auch wenn es von der Sache her nicht möglich ist, nur von dieser Toleranz allein zu sprechen, sondern doktrinäre Konflikte mehr im allgemeinen bedacht werden müssen. Es versteht sich dabei von selbst, daß hier in Kürze nur sehr in Auswahl über diese Thematik gesprochen werden kann. Dieser Vorbehalt aber hat auch darin seine Berechtigung, daß schon mindestens seit Jahrhunderten in der Fundamentaltheologie und Ekklesiologie der Sache nach dieses Thema verhandelt wird, wenn da von der Lehrautorität des Papstes, der Konzilien, der Bischöfe, von der Gestuftheit der Autorität und der Verbindlichkeit der Erklärungen solcher Lehrinstanzen, vom Wesen der Häresie und der Rechtgläubigkeit, von der verschiedenen theologischen Qualifikation und Verbindlichkeit von theologischen Lehrsätzen, von Ausdehnung und Grenzen der Zuständigkeit solcher kirchlichen Lehrinstanzen, vom Unterschied zwischen Glauben und Theologie, von der Hierarchie der Wahrheiten im Ganzen der kirchlichen Verkündigung, vom Unterschied einer rein privaten und einer öffentlichen Sphäre auch in der Dimension der Glaubensüberzeugung, von verschiedenen Graden der personalen Zustimmung zu kirchlich vorgetragenen Glaubens- und Lehrsätzen usw. gesprochen wird. Man darf also nicht meinen, über die Frage von Lehrkonflikten und von Toleranz auf diesem Gebiet werde in der Kirche und ihrer Theologie erst in neuester Zeit gehandelt. Weil dem nicht so ist und weil eine umfassende und systematische Darstellung alles dessen, was hier einschlägig ist, gar nicht möglich ist, dürfen und müssen wir uns hinsichtlich solcher Lehrkonflikte auf ein paar auswählende Bemerkungen beschränken.

1. Zunächst einmal ist deutlich zu sehen und festzuhalten, daß es nach dem Selbstverständnis der katholischen Kirche eine verbindliche Glaubenssubstanz gibt, die konstitutiv ist für die Kirche selbst und für eine volle Kirchengliedschaft des einzelnen und die autoritativ, d. h. in Vollmacht vom Wesen der Kirche und von der Sendung Christi her, verkündigt und der freien Glaubenszustimmung des einzelnen, objektiv verpflichtend, angeboten wird. Zwar entspringt diese lehrhaft formulierte Glaubenssubstanz einer irgendwie auch hinter ihr liegenden lebendigen Erfahrung Gottes und Jesu Christi in ihrem heiligen Geist; aber ihre lehrhafte und satzhafte Formulierung ist dennoch für sie konstitutiv. Es hat immer gegeben und gibt Dogmen, absolut verbindliche Glaubenssätze auch im einzelnen, die trotz ihrer Geschichtlichkeit und Geschichte und trotz ihres verschiedenen Stellenwertes und trotz ihrer Offenheit in die Zukunft einer besseren und besser assimilierbareren Interpretation und Neuformulierung bei bleibender Identität mit einer alten konstitutiv sind für den Glauben der Kirche und für den Glaubenssinn, durch den ein einzelner Christ im vollen Sinne Glied der Kirche ist. Die Kirche wird nach katholischer Überzeugung durch den Geist Gottes nicht nur in jenem vorhin angedeuteten Ursprung ihrer Glaubenssubstanz und im allgemeinen ihrer Glaubensverkündigung in der Wahrheit Gottes bewahrt, sondern auch in jedem Satz, *wenn* sie ihn mit der Forderung einer *absoluten* Glaubenszustimmung *als* von Gott geoffenbart und als für ihren Glauben konstitutiv mit einem absoluten Engagement in ihrer Verkündigung verkündigt. Es gibt „unfehlbare" Dogmen in dem eben gesagten Sinn, auch wenn man über die Verständlichkeit und Assimilierbarkeit oder Ersetzbarkeit dieses Begriffes streiten mag. Es gibt nach katholischer Überzeugung auch greifbare und deutliche Lehrinstanzen für die Verkündigung solcher absolut verbindlichen Sätze: Die Gesamtheit der lehrenden und glaubenden Kirche, die zu ihrem vollen Wesen in reflexem Zusichselberkommen

findet in der ordentlichen Verkündigung des Gesamtepiskopats mit und unter dem Papst und in der nochmals reflektierten Selbstvergewisserung dieser ordentlichen Lehre durch feierliche Definitionen der Konzilien oder des Papstes. Wo und wann ein einzelner Christ solchen Dogmen der Kirche frontal, d. h. kontradiktorisch, widerspricht, und zwar nicht nur „opinativ", meinungsäußernd, sondern in einer letzten personalen Entscheidung, die formal analog ist einer absoluten Glaubensentscheidung, hört er auf, im vollen Sinne Mitglied der römisch-katholischen Kirche zu sein. Mindestens dann, wenn diese „hartnäckige" Überzeugung die Öffentlichkeit der Kirche und ihres allgemeinen Glaubensbewußtseins tangiert, wird er im alten Sinn „Häretiker" oder sogar „Apostat". Die Kirche hat in einem solchen Fall das Recht und unter Umständen die Pflicht, dieses von dem Betreffenden selbst vollzogene Ausscheiden aus der Kirche und ihrem Glauben ausdrücklich festzustellen; sie hat das Recht, einem solchen jene Rechte und Möglichkeiten in der Kirche abzuerkennen, die ein solcher unter Umständen dennoch für sich weiter beansprucht, sie hat das Recht, sich gegen „Unterwanderung" und „Umfunktionierung" ihrer selbst zur Wehr zu setzen, auch wenn der *effektive* Erfolg solchen Sichwehrens im Einzelfall nicht gegeben sein mag und, aufs Ganze der Kirche gesehen, letztlich Gegenstand der Hoffnung auf die bewahrende Macht ihres Geistes bleibt und nicht administrativen und kirchenpolizeilichen Maßnahmen des Amtes in der Kirche verdankt werden kann.

2. So formal klar dieses Grundprinzip sein mag und so deutlich es gegen dogmatische Auflösungstendenzen in der heutigen Kirche betont werden muß, sind natürlich dennoch viele konkretere Fragen schon hinsichtlich von Lehrkonflikten bezüglich des eigentlichen Dogmas der Kirche schwierig und dunkel. Zwar steht dem Lehramt nicht bloß die Vollmacht zu, in Berufung auf Jesus Christus, die Heilige Schrift und die dogmatische Tradition in absolut verbindli-

cher Weise Dogmen zu verkünden und zu lehren, es hat auch die „Kompetenz der Kompetenz", d.h. dort, wo die Kirche ein *Dogma als* von Gott geoffenbart verkündigt, kann der einzelne Christ in der Kirche diesem Anspruch des Lehramtes sich nicht mit der Erklärung entziehen, es handle sich in Wirklichkeit gar nicht um eine von Gott geoffenbarte Wahrheit, die die Kirche letztverbindlich vorlegen könne. Aber dadurch sind noch längst nicht alle Probleme, die man Lehrkonflikte nennen könnte, auch nur auf dem Gebiet des eigentlichen Dogmas ausgeräumt. Auch die Verkündigung des eigentlichen Dogmas und darum die Wahrnehmung der formalen Autorität des Lehramtes begegnen heute Schwierigkeiten, die es früher in derselben Deutlichkeit und im selben Umfang nicht gegeben hat. Wie ist es z.B. hinsichtlich der Wahrnehmung dieser Lehrautorität in den Fällen, bei denen ein Christ oder ein Theologe in der Kirche öffentlich nicht einfach nach seiner eigenen Erklärung ein Dogma der Kirche schlechthin und dezidiert verwirft, aber doch – vielleicht opinativ und zur Diskussion stellend – Lehren vorträgt, die einerseits auf den ersten Blick einem Dogma zu widersprechen scheinen, anderseits bei der heutigen Differenziertheit und dem Pluralismus von nicht mehr adäquat systematisierbaren Begriffen doch nicht so leicht als eindeutiger und klarer Widerspruch zu einem wirklichen Dogma qualifiziert werden können? Wie, wenn vielleicht gefragt werden kann, ob eine solche suspekte Lehre vielleicht doch nur einen Widerspruch in der Terminologie oder einen Widerspruch zu einem Mißverständnis oder zu einer Deutung eines Dogmas bedeutet, die bisher unbefangen und ununterschieden mit dem Dogma tradiert wurde, obwohl sie, wie sich vielleicht jetzt erst oder später herausstellt, mit ihm gar nicht identisch ist? Wie steht es, wenn heute bei einem heute gar nicht mehr adäquat überholbaren Pluralismus von Theologien, die gar nicht in adäquater Reflektiertheit von den Glaubensaussagen eigentlicher Art abgesondert werden können, eine bischöfliche oder päpstliche Lehrinstanz, die nur in *eine* solcher vielen Theologien eingeübt ist, über die theologische Aussage eines Theologen urteilen soll, dessen Theologie sich in anderen Verstehenshorizonten und Terminologien bewegt? Wie soll in solchen und ähnlichen Fällen ein Urteil gefällt werden, wenn für dessen Sachgemäßheit Kenntnisse exegetischer, dogmengeschichtlicher, philosophischer und soziologischer Art unter Umständen erforderlich sind, die bei einem kleinen bischöflichen oder päpstlichen Gremium der Urteilsfindung gar nicht oder höchst ungenau vorausgesetzt werden können, Kenntnisse, die bei einem solchen Gremium wegen anderer geistes-soziologischen Voraussetzungen, die da gegeben sind, mindestens nicht dasselbe Gewicht haben wie bei dem Theologen, dessen Lehre sie beurteilen sollen? Wie erst sind solche Schwierigkeiten zu denken, wenn es einmal eine indische, ostasiatische, afrikanische Theologie gibt, die autochthon aus ihrem nichteuropäischen Milieu heraus theologisiert? Solche und ähnliche Schwierigkeiten treten heute auf, auch wenn es sich einerseits um das eigentliche Dogma der Kirche dreht, ohne daß anderseits die Deutung, die ihm ein bestimmter Theologe gibt, einfach schon unmittelbar greifbar oder in der erklärten Absicht eines Theologen kontradiktorisch diesem Dogma widerspricht, aber doch auch seine Vereinbarkeit mit dem verpflichtenden Sinn dieses Dogmas nicht gewiß ist.

In solchen Fällen ist nun gewiß Vorsicht, Geduld, nicht rasch abgebrochener Dialog, Verständnisbereitschaft, kurz Toleranz von beiden Seiten erforderlich. Toleranz ist zunächst von seiten der Vertreter des kirchlichen Lehramtes geboten. (Man beachte, daß wir immer noch nur von den Fällen sprechen, in denen es sich um die Vereinbarkeit einer theologischen Meinung mit dem eigentlichen Dogma der Kirche handelt). Die Vertreter des Lehramtes müssen sich wirklich tolerant über die eben angedeuteten Schwierigkeiten einer Urteilsfindung klar sein. Sie müßten auch aus der Dogmengeschichte darüber sich klar sein, daß in dieser Geschichte schon oft genug sich Fälle einer bloß scheinbaren, bloß verbalen Häresie ereignet haben, die bei etwas mehr Toleranz und Weite des Geistes, des Herzens und der Verständnisbereitschaft auf seiten des Amtes und bei weniger patriarchalistischem Autoritarismus nicht zu (letztlich doch nur schismatischen) Kirchenspaltungen hätten führen müssen. Sie müssen sich darüber klar sein, daß sie nicht nur in einem lehramtlich formalen Recht bloße Urteile fällen dürfen, sondern sie auch möglichst weitgehend in sachlicher Argumentation selber begründen müssen und dies heute nicht mehr einfach bloß anderen Theologen überlassen dürfen. Sie sind zwar in einem gewissen Sinne „Richter" mit einer formalen Autorität (deren Eigenart in Lehrfragen heute aber genauer erforscht und begründet werden müßte, als es von Rom her geschieht) und nicht bloß beliebige Theologen, deren Meinung soviel wert ist wie ihre Argumente und darum von jedem anderen Theologen mit anderen Argumenten bestritten werden kann. Die Vertreter des Lehramtes und seine Repräsentanten haben gewiß nicht bloß das formale Recht, Entscheidungen fällen zu können, sondern unter Umständen auch die Pflicht, es zu tun, ohne eine solche Entscheidung unbegrenzt immer wieder zu vertagen (unter Umständen aus kirchenpolitischen und diplomatischen Gründen, die mit der Sache gar nichts zu tun haben) bloß deswegen, weil immer noch Unklarheiten bestehen und endlos weiter disputiert werden könnte. Aber aus den genannten Gründen ist bei den Fällen, um die es sich hier handelt, heute mehr als je Toleranz von seiten des Lehramtes angebracht, die von der Sache selbst, von der menschlichen Würde des betroffenen Theologen und von einer legitimen Freiheit der Theologie her gefordert ist. Daß und wie solche Toleranz des Lehramtes heute in etwa auch institutionell garantiert und abgeschirmt werden kann, darüber kann über das früher Angedeutete hinaus nun nichts mehr gesagt werden. Solche Fragen einer konkreten Durchführung und Institutionalisierung solcher Toleranz führt natürlich unweigerlich in Ermessensfragen, die von einer argumentativen Rationalität allein nicht mehr adäquat beantwortet werden können. – Aber in den Fällen, um die es eben geht, ist auch Toleranz von seiten des betroffenen Theologen erforderlich. Dieser Satz mag sonderbar klingen. Aber es ist so. Diese Toleranz fordert zunächst einmal die grundsätzliche Anerkennung der Autorität des Lehramtes in deren gestufter Art und Verpflichtung, wie sie in der traditionellen Fundamentaltheologie und Ekklesiologie gelehrt wird. Diese Toleranz fordert darum auch, daß ein einzelner Theologe, so berechtigterweise er auch nach der Sachbegründung einer anstehenden oder getroffenen Entscheidung lehramtlicher Instanzen fragen darf, doch nicht so agieren soll, als ob er mit diesen Instanzen einfachhin auf gleicher Ebene verhandelt wie in einem Streit von Theologen untereinander. Er muß das Lehramt in dessen eigener Eigenart und Vollmacht wirklich respektieren, „tolerieren". Er muß sich in Geduld und Selbstkritik seiner eigenen Fehlbarkeit bewußt bleiben, er muß immer auch ehrlich damit rechnen, daß seine Meinung, die die eines geschichtlich bedingten einzelnen Menschen und eines Sünders ist, mitbestimmt ist durch Kurzsichtigkeit, Eigensinn, Egoismus und durch die unheimliche Gefahr, außertheologischen Strömungen und Verengungen und Moden seiner Zeit zu verfallen, vielleicht sehr modern zu sein, aber gerade darum die volle Wahrheit, die in der Tradition der Vergangenheit besser bewahrt ist, zu verfehlen. Solche Toleranz auf seiten des Theologen in einem Lehrkonflikt hat heute, so meine ich, noch einen anderen Aspekt, vorausgesetzt natürlich, daß man das Gemeinte unter das Wort Toleranz subsumieren will. Heutige Theologen, die in Gefahr sind, mit dem kirchlichen Lehramt in Konflikt zu kommen, betonen sehr oft einen legitimen Pluralismus in der heutigen Theologie in der Kirche. Was mit diesem Pluralismus sachlich gemeint sein kann, impliziert aber doch auch die Tatsache, daß man eine theologische Meinung und ein Dogma der Kirche heute in verschiedenster Weise angehen und aussagen kann. Das aber impliziert doch auch wieder, daß ein Theologe gar nicht der Meinung huldigen darf, das, was er eigentlich sagen will, lasse sich nur genau in der Weise aussagen, wie dieser Theologe es sagt und damit in Gefahr kommt, daß seine Meinung vom kirchlichen Lehramt als Widerspruch zum Dogma der Kirche zensuriert wird. Ein Theologe von heute soll nicht nur vom kirchlichen Lehramt Respektierung eines theologischen Pluralismus postulieren, sondern ihn auch selbstkritisch praktizieren, d.h. eine selbstkritische Flexibilität gegenüber den Formulierungen praktizieren, die er selber an sich bevorzugen würde. Es handelt sich dabei nicht um eine feige, devote Akkomodation an kirchenamtliche Mentalitäten und Formulierungen. Es handelt sich vielmehr zugunsten des Friedens in der Kirche und zugunsten einer Bewahrung (soweit möglich) einer gemeinsamen Sprache in der Kirche wegen der Einheit des Glaubens um einen legitimen skeptischen Relativismus gegenüber seiner eigenen Meinung bzw. deren Formulierung. Man braucht richtig Gesehenes, das in sich durchaus mit dem richtig verstandenen Dogma vereinbar ist, gar nicht in einer Weise zu formulieren, daß es den Anschein hat, es widerspreche eklatant einem kirchlichen Dogma oder auch nur der bei der Aussage eines Dogmas unvermeidlich auch mitvollzogenen kirchlichen Sprachregelung. Man kann gewiß, wenn etwas richtig, obzwar vielleicht neu, gesehen wird, es auch sagen ohne ärgerliche Affronts mit den traditionellen Aussagen und Aussageweisen kirchlicher Dogmen. Dafür müßte ein Theologe von heute doch in mehreren Sätteln reiten können, wenn er von einem Pluralismus in der Theologie von heute überzeugt ist. Nur mit dieser Toleranz wird es ihm gelingen, das Neue, das er mit Recht in das allgemeine Bewußtsein der Theologie oder sogar vielleicht des Glaubens einbringen will, auch wirklich diesem Bewußtsein zu vermitteln. Sonst bleibt er ein Outsider, dessen Meinung bald von der theologischen nächsten Mode überholt und vergessen wird. Solche

Toleranz, d. h. selbstkritische Relativierung der eigenen Meinung und Bereitschaft, sie anders und für das Lehramt der Kirche besser verständlich zu sagen, ist eine legitime Haltung eines selbstkritischen kirchlichen Theologen, ein Akt der Demut und des Friedenswillens gegenüber den amtlichen Instanzen in der Kirche, ein Akt der Anerkennung der Geschichtlichkeit der eigenen Person und auch der Kirche, in denen nicht alles auf einmal verwirklicht werden kann, ein Akt des richtigen Verhältnisses zur Wahrheit, die man letztlich doch nur in selbstloser, d. h. sich selber relativierender Liebe haben kann. Wäre mehr Zeit, dann könnte das Gemeinte durch Beispiele von Einzelkonflikten illustriert und besser verdeutlicht werden. Aber dafür reicht die Zeit nicht mehr.

3. Wir kommen zu den Lehrkonflikten und der dabei erforderten Toleranz, in denen es sich nicht unmittelbar und deutlich um einen Konflikt zwischen einem eigentlichen Dogma und der theologischen Meinung eines Christen und Theologen handelt, sondern um Konflikte, die sich auf Lehren des kirchlichen Lehramtes beziehen, die von ihm selbst nicht als eigentliches Dogma erklärt werden und doch ,,verbindlich" vorgetragen werden, um sogenannte ,,authentische" Erklärungen des kirchlichen Lehramtes. Es kann hier nun nicht im einzelnen erklärt und begründet werden, daß und warum es auch solche authentische Lehräußerungen der Kirche jenseits des eigentlichen Dogmas gibt, gegeben hat und an sich grundsätzlich auch in Zukunft geben kann, daß und warum und in welcher genauen Weise ein Theologe auch solchen Lehräußerungen mit der gebotenen Achtung gegenübertreten muß und sie nicht einfach als Theologenmeinungen abqualifizieren kann, denen seine eigene Meinung von vornherein gleichberechtigt gegenübersteht. Was diesbezüglich zu sagen wäre, muß hier vorausgesetzt werden. Ebenso erst recht die Lehre von der außerordentlichen Gestuftheit der verpflichtenden Bedeu-

tung solcher authentischen Lehrerklärungen des kirchlichen Amtes, welche Gestuftheit gegeben ist mit der Verschiedenheit der Lehrinstanz (Papst, römische Kongregationen, Bischof), mit der Verschiedenheit der Dauer und Intensität der Vorlage solcher authentischen Lehrerklärungen, mit der faktischen Rezeption oder Nichtrezeption einer solchen Erklärung in der Kirche und in ihrer Theologie usw. Ebenso kann die Verschiedenheit der Zustimmung des Christen und Theologen zu solchen Lehräußerungen, wie sie auch in der traditionellen Lehre über das Lehramt in der Kirche dargestellt wird, hier nicht erörtert werden.

Zu all dem sei zunächst nur dieses gesagt: Es gibt im menschlichen Leben nicht nur absolute Überzeugungen, sondern auch Meinungen, Urteile mit Vorbehalten einer späteren Revision, Ermessensurteile usw. Solche gestuften Zustimmungen zu einem Satz kann es darum auch gegenüber amtlichen, authentischen Lehren des Lehramtes geben, das man nicht vor die Alternative stellen darf, entweder mit einer absoluten Verbindlichkeit definitorisch zu sprechen oder einfach zu schweigen und die Frage dem Disput der Theologen allein zu überlassen. Es ist nun auch nach der traditionellen Lehre der Kirche und der Theologen möglich, daß sich das Lehramt bei solchen authentischen Erklärungen irrt, und solche Irrtümer sind nach dem Ausweis der Theologiegeschichte und auch z. B. nach einer Erklärung der deutschen Bischofskonferenz oft und auch bis in das 20. Jahrhundert hinein vorgekommen. Beispiele können hier nicht vorgelegt werden, weil das zu lange ginge.

Auch hier ist nun Toleranz von beiden Seiten eines möglichen Konfliktes erfordert. Der Christ und Theologe muß zunächst ein tolerantes Wohlwollen und Gelehrigkeit auch diesen Erklärungen entgegenbringen. Er muß sie und ihre Gründe (die heute vom Lehramt deutlicher mitgeliefert werden sollten, als es bisher geschehen ist) offen und ernsthaft bedenken. Er muß bei der Fortsetzung des Dialogs nach einer solchen nichtdefinitorischen, aber authentischen Lehräußerung des Amtes in der Kirche nicht einfach in der gleichen Weise fortfahren wie vorher; er soll ernsthaft fragen, welche vielleicht viel verpflichtenderen Motivationen hinter solchen Lehräußerungen am Werk sind; er soll für diese hintergründigen Motivationen, die durchaus aus der Mitte des Glaubens kommen können, auch wenn die Lehräußerung selbst noch fraglich bleibt, in ihrem Gewicht realisieren und ein Verständnis dafür auch seinen Schülern vermitteln. Aber in den Fällen, um die es sich jetzt handelt, darf und soll der Dialog weitergehen, und ein „Silentium obsequiosum" ist beileibe nicht die einzige und immer gebotene Haltung eines Theologen, wenn er sich vor eine solche Lehräußerung gestellt findet, die er innerlich nicht bejahen kann. So weit muß jedenfalls nicht in allen Fällen die „Toleranz" des Theologen (wenn man das Genannte zur Not so nennen kann) gehen, besonders dann nicht, wenn der Theologe bei Fortsetzung des kritischen Dialogs mit dem Lehramt deutlich macht, daß er seine Lehre auch nicht für eine unfehlbare Wahrheit, sondern für eine Meinung hält, über die weiter nachzudenken und zu diskutieren ist. Diese Absicht und Gesinnung muß aber nicht bloß in einer verbalen Pflichtübung am Anfang oder am Schluß einer weitergeführten Diskussion ausgesprochen werden, in der man weiterhin eine solche authentische Lehre des kirchlichen Amtes kritisch weiterbedenkt, sondern muß wirklich Sache und Stil dieser Diskussion prägen.

In diesen Fällen ist aber vor allem Toleranz von seiten des kirchlichen Lehramtes geboten. Es kann ja irren, Wahres und Falsches in seiner Erklärung vermischen, kurzsichtig sein, und aus Überängstlichkeit und Enge gerade dem hinderlich sein, dem es dienen will, der wirklichen Wahrheit des Evangeliums und dessen Lebensmacht.

Mindestens im allgemeinen gesprochen scheint mir in solchen Fällen es heute nicht mehr angebracht, daß das Lehramt nach seiner Erklärung eine weitere öffentliche Diskussion verbietet oder die Vertreter einer gegenteiligen

Meinung zum Widerruf verpflichtet oder gar mit administrativen Maßnahmen des Amtsentzuges usw. sich durchzusetzen versucht.

Mindestens heute und im allgemeinen scheinen mir solche Maßnahmen unangebracht zu sein, weil sie ihren Zweck verfehlen. Die Diskussion geht ja dann doch weiter, sie wandert aber ab in Bereiche, die sich dem Lehramt und seiner Kenntnis entziehen; die Theologen werden ängstlich und feige oder verbittert und mißtrauisch; sie beklagen sich über eine unberechtigte Einschränkung der Freiheit ihrer Wissenschaft, fühlen sich geschulmeistert durch Leute, an deren Kompetenz sie zweifeln, fühlen sich verkannt in ihrer doch auch bestehenden Absicht, dem Evangelium zu dienen, die Wahrheit deutlicher zu machen, ohne die auch die Kirche nicht wirklich leben kann. Mir will scheinen, daß „Lumen gentium" Nr. 25 in dieser Frage, wo es „den religiösen Gehorsam des Willens und Verstandes" dem römischen Lehramt gegenüber fordert, auch wenn der Papst nicht kraft höchster Lehrautorität spricht, ohne nähere Differenzierung (auch das Folgende des Textes ist keine genügende Differenzierung), der Sache und der heute geforderten Toleranz des Lehramtes nicht genügend gerecht wird. Es ist, um die Forderung einer toleranteren Praxis von seiten Roms gegenüber früher zu verstehen, auch Folgendes zu bedenken: Zunächst einmal, so will mir scheinen, ist die geistige Situation heute anders als früher. Ich vermute, daß man früher mehr oder weniger mit Recht (als Normalfall) voraussetzte, daß ein Theologe, wenn er eine bestimmte Position aufstellte, sie mit einem mehr oder weniger absoluten Engagement, als „sichere" Lehre vortrug, und daß der Leser, wenn er einem solchen Theologen zustimmte, auch die Dezidiertheit einer solchen Position übernahm. Heute ist dies doch anders geworden in der wissenschaftlichen Mentalität unserer Zeit mit ihrem Relativismus und Skeptizismus, mit ihrem Gefühl, alle Meinungen und auch sogenannten wissenschaftlichen Ergebnisse seien vorläufig und die eigentlichen Triumphe der Wissenschaft geschähen dort, wo eine bisherige Meinung falsifiziert werde. Auch wenn eine solche Haltung ihre Grenzen und ihre Gefahren hat, so ist sie doch sehr verbreitet, berechtigt aber, so meine ich, das Lehramt heute dazu, auch Meinungen der theologischen Wissenschaft, selbst wo sie ihm falsch erscheinen, ruhig der weiteren theologischen Diskussion zu überlassen und nicht zu rasch zu meinen, solche Positionen würden mit dem Ernst einer absoluten Entscheidung aufgestellt. Schon weil heute eine wissenschaftsskeptische Mentalität der Wissenschaft selbst und ein sehr rasch sich auswirkendes Wandlungsbedürfnis in der Wissenschaft selbst besteht, sollte das Lehramt solchen Meinungen der Theologen gegenüber nicht zu ängstlich sein und sie mit mutiger Toleranz dem freien Spiel der Kräfte in der Wissenschaft selbst überlassen. Die Geschichte der protestantischen Theologie, in der es kein eigentliches Lehramt gibt, zeigt auch, daß sich von der Kraft des Evangeliums selbst her Rechtgläubigkeit doch immer wieder aufs neue durchsetzt. – Es wäre in den jetzt anstehenden Fällen auch zu wünschen, daß das Lehramt bei solchen authentischen Lehrerklärungen ausdrücklich anmerkt, daß es sich um grundsätzlich revidierbare Erklärungen handelt. Wenn und insofern das Lehramt eine innere Verständnisbereitschaft auch für solche Entscheidungen bei den Theologen und den Gläubigen voraussetzen kann und muß, würde eine solche ausdrückliche Qualifizierung solcher Lehrerklärungen als authentisch, aber nicht unfehlbar, nichts schaden, sondern der Ehrlichkeit und der Fairness in den in solchen Fällen fast unvermeidlich auftretenden Kontroversen nur nützen. „Humanae Vitae" ist gewiß keine Kathedralentscheidung des Papstes und will es nicht sein. An sich können wirklich versierte Theologen dies natürlich auch erkennen, wenn es die Enzyklika nicht ausdrücklich selber sagt. Aber warum sollte sie es nicht ausdrücklich sagen? Sie kann doch nicht von der Voraussetzung ausgehen, daß sie bei einer ausdrücklichen Feststellung dieser Tatsache von vornherein sich um ihre Effizienz im Bewußtsein der Theologen und der Gläubigen bringe. Eine solche unreflektiert mitschwingende Voraussetzung würde ja Lehrerklärungen der Glaubenskongregation von vornherein unmöglich machen, da diese Kongregation als solche ja nie Kathedralentscheidungen, eigentliche Definitionen fällen kann.

Es sei an dieser Stelle gestattet, in etwa den Weitergang unserer Überlegungen zu unterbrechen, um noch etwas ausführlicher und weitergreifend das eben formulierte Postulat zu begründen, daß das kirchliche Lehramt eine weitere Diskussion auch öffentlicher Art in Fragen nicht unterbinden solle, bei denen es sich (sicher oder mit großer Wahrscheinlichkeit) nur um eine authentische, nicht definierte Lehre der Kirche handelt. Dieses als private Meinung vorgetragene Postulat ist nicht selbstverständlich. Denn in „Lumen gentium" Nr. 25 heißt es: „Dieser religiöse Gehorsam des Willens und des Verstandes ist in besonderer Weise dem authentischen Lehramt des Bischofs von Rom, auch wenn er nicht kraft höchster Lehrautorität spricht, zu leisten; nämlich so, daß sein oberstes Lehramt ehrfürchtig anerkannt und den von ihm vorgetragenen Urteilen aufrichtige Anerkennung gezollt wird, entsprechend der von ihm kundgetanen Auffassung und Absicht. Diese läßt sich vornehmlich erkennen aus der Art der Dokumente, der Häufigkeit der Vorlage ein und derselben Lehre und der Sprechweise." Gewiß ist in diesen Sätzen in deren letzten Teil eine gewisse Differenzierungsmöglichkeit in der geforderten Zustimmung zu solchen Lehrurteilen Roms, die keine Definitionen sind, erkennbar. Aber aufs Ganze gesehen, wird eben doch eine aufrichtige Anhänglichkeit an die vorgetragenen Urteile selbst, die von diesem Lehramt erlassen werden, gefordert und nicht nur eine ehrfürchtige Anerkennung des Lehramtes als solches. Wenn aber dieses wirklich ohne weitere Unterscheidung gelten sollte, dann kann man eigentlich nicht mehr recht einsehen, wie eine ernsthafte Diskussion nach Erlaß solcher Römischen Urteile noch wirklich weitergehen könnte. Denn eine weitergehende Diskussion ist doch nur möglich, soll sie ernsthaft sein, wenn auch das zu diskutierende Römische Urteil bestritten werden kann, diesem Urteil also eben doch keine „aufrichtige Anhänglichkeit" gezollt wird, wodurch (wie schon gesagt wurde) nicht bestritten wird, daß einem solchen Römischen Urteil beim Weitergehen der Diskussion der ihm gebührende Respekt in der Sache und dem Ziel der Argumentation gezollt wird. Die Geschichte mindestens der letzten 150 Jahre zeigt auch im steigenden Maße, daß nach solchen lehramtlichen Erklärungen Roms die Diskussion weitergegangen ist, eine Diskussion, die gar nicht zu den vielen Revisionen oder ausdrücklichen oder stillschweigenden Abschaffungen solcher Erklärungen hätte führen können, wenn die Diskussion nicht auch Bestreitungen solcher Römischen Entscheidungen beinhaltet hätte, wobei es letztlich gleichgültig oder mehr eine Frage des Stils, der Höflichkeit und der Ehrlichkeit ist, ob solche Bestreitungen ausdrücklich oder mehr kaschiert vorgetragen werden und es nochmals eine andere, wenn auch nicht unwichtige, Frage ist, in welchem Tempo solche Diskussionen und die Erzielung eines revidierenden Resultates der Diskussion haben. Man denke nur an den Abbau der Verpflichtung des Syllabus Pius' IX. von 1864, an die ausdrückliche oder stillschweigende Revision exegetischer Positionen des Lehramtes am Anfang dieses Jahrhunderts, an nicht unbeträchtliche Modifikationen der kirchlichen Ehelehre im Lauf der letzten Jahrzehnte, an die Verschiebungen in der Lehre des Rechtes des Gewissens in der Öffentlichkeit der Gesellschaft, an den nicht unerheblichen Wandel der theologischen Interpretation der nichtkatholischen Kirchen und kirchlichen Gemeinschaften von seiten der katholischen Kirche usw. Geschichtlich gesehen, sind das alles unleugbare Selbstverständlichkeiten, für die es aus unserem Jahrhundert noch viele weitere Beispiele gäbe. Und weil solche

Revisionen, die hier gemeint sind, Tatsachen sind, die entweder stillschweigend vom Lehramt hingenommen wurden oder auch (z. B. im 2. Vatikanum) von ihm auch ausdrücklich (wenn auch nicht mit einer ausdrücklichen Desavouierung früherer Erklärungen) akzeptiert wurden, so sind auch solche Revisionen Rechtens und damit auch (mindestens im großen und ganzen) der Weg, auf dem solche Revisionen erreicht wurden. Dann aber entsteht doch die Frage, warum eine Diskussion nicht möglich sein solle, die nicht auf der Basis einer „aufrichtigen Anhänglichkeit" (oder ist „Anhänglichkeit nicht = Zustimmung?) geschieht. Wenn diese Frage bejaht wird, entsteht natürlich die weitere Frage, was denn dann die zitierte Aussage des Konzils noch bedeuten solle, ob sie einfach gestrichen werden müsse (was grundsätzlich ja nicht unmöglich ist) oder eben weiter und freier interpretiert werden könne. Wenn man sich mit der zweiten Möglichkeit einverstanden erklärt, wäre der Inhalt dieser restriktiven Interpretation ungefähr mit dem identisch, was früher über das Verhältnis eines Theologen zu einer authentischen Erklärung des Römischen Lehramtes gesagt wurde, die keine Definition beinhaltet.

Wenn wir nun über das schon Gesagte hinaus (wiederholend, verdeutlichend und vertiefend) uns fragen, warum das Römische Lehramt in heutiger Zeit das genannte kritischere Verhältnis des Theologen (und Gläubigen) zu seinen authentischen Erklärungen dulden und zulassen müsse, dann muß zur Beantwortung dieser Frage etwas weiter ausgeholt werden. Im voraus dazu sei nochmals betont, daß durch das zu erklärende Prinzip eines legitimen Weitergehens der Diskussion nach einer solchen Römischen Erklärung (eventuell auch unter deren Bestreitung) eine solche Römische Erklärung ihre Bedeutung nicht verliert, in der weitergehenden Diskussion ernsthaft einkalkuliert werden muß und in ihr einen anderen Stellenwert (wenn auch bedingter Art) hat als die Meinung eines beliebigen Theologen. Darüber muß nicht länger gesprochen werden. Was nun die Gründe des genannten Prinzips angeht, so sind viele gleichzeitig ins Spiel zu bringen. Zunächst einmal zeigt die Geschichte mindestens der letzten 150 Jahre, daß dieses Prinzip faktisch wirksam ist, daß Rom durch seine Erklärungen das Weitergehen der Diskussion über eine solche Erklärung nicht verhindern kann. In sehr vielen Fällen ist sie faktisch weitergegangen und hat zu Resultaten geführt, die praktisch einer Annulierung früherer Römischer Erklärungen gleichkommen. Man wird aber schwerlich behaupten können, daß eine solche Tatsache von diesem Ausmaß einfach schlechthin illegal sein könne, zumal Resultate solcher weitergegangenen Diskussionen in spätere Erklärungen des Lehramtes selbst eingegangen sind. Ferner müssen zwei Dinge in ihrem Zusammenhang gesehen werden. Zunächst einmal muß die heutige geistesgeschichtliche und geistessoziologische Situation bedacht werden, die erheblich anders ist, als sie früher war. Der Umfang dessen, was an sich in einer lehramtlichen Erklärung (soll diese einen positiven Inhalt haben) zu berücksichtigen ist gegenüber früher, ist in einem fast ungeheuerlichen Maß gewachsen. Umfang und Differenziertheit sowohl der anthropologischen und naturwissenschaftlichen Disziplinen wie auch der theologischen Wissenschaften (besonders der Exegese und der Dogmengeschichte) haben so zugenommen, daß sie von einem Einzelnen oder einer kleinen Gruppe (z. B. in einem römischen Dikasterium) kaum oder gar nicht mehr überblickt und berücksichtigt werden können. Und doch können alle solche Erkenntnisse für die Sachgemäßheit einer Lehrerklärung von Bedeutung sein und ihre Nichtberücksichtigung eine solche Lehrerklärung inadäquat, schief oder sogar irrig machen. Es nützt in einem solchen Fall meistens auch nichts, wenn man sich auf einzelne Sätze der Schrift oder auf die Tatsache zurückziehen wollte, daß die Kirche „immer schon" so und so gelehrt habe. Denn im ersten Fall gerät man nur zu oft in die schwierige Frage hinein, was denn nun wirklich der sichere und verpflichtende Sinn solcher einzelnen Dikta probantia der Schrift sei, wie die Exegese solche angerufenen Texte auslege, ob sie wirklich das verbindlich sage, was man sie sagen lassen will, wenn man sie im Ganzen der Schrift und unter Berücksichtigung der geschichtlichen Bedingtheit ihrer Begrifflichkeit und ihrer Verstehenshorizonte interpretiert. Im zweiten Falle gerät man in die Frage hinein, die sehr oft negativ zu beantworten ist, ob die bisherige Allgemeinheit einer Lehre diese theologisch verbindlich mache. Denn man kann auch nach der Lehre des Zweiten Vatikanums nicht sagen, daß alles, was in der Kirche einmal als selbstverständlich allgemein gelehrt wurde, darum auch schon eine eigentlich theologische oder dogmatische Verbindlichkeit habe. Dies zumal darum nicht, weil auch vieles, was einmal allgemein gelehrt wurde, heute mehr oder weniger ausdrücklich auch lehramtlich revidiert worden ist. (Man denke z.B. an die Frage des entwicklungsgeschichtlichen Zusammenhangs der Menschheit mit dem Tierreich, an die Frage des sogenannten Monogenismus, an das Verbot des heliozentrischen Systems, an viele Positionen, die bis in die neueste Zeit lehramtlich in den biblischen Einleitungswissenschaften von der Kirche gehalten wurden, an die Geschichte der Sexualmoral, die nur zu deutlich beweist, daß die Kirche nicht immer ,,dasselbe" gelehrt hat, an die Lehre des Verhältnisses von Kirche und Staat und Gesellschaft, an die Einschätzung der Demokratie, der Gewissensfreiheit usw. usw.) Solche Wandlungen in der kirchlichen Lehre sind an und für sich selbstverständlich und müssen nicht apologetisch kaschiert werden. Aber man muß aus ihnen dann auch unbefangen die Konsequenz ziehen, daß eine Lehräußerung, die heute ergeht, keinen endgültigen Schlußpunkt bildet, weiter diskutiert und eventuell auch sehr wesentlich überholt werden kann. Einfach wie gesagt darum, weil die heute fast unübersehbar gewordene Fülle von Informationen und Erkenntnissen nur in einem langsamen und weitergehenden Prozeß des kirchlichen Glaubensbewußtseins in solche Lehrerklärungen hinein integriert werden können und gar nicht erwartet werden kann, daß dies in jedem Augenblick von den Vertretern des kirchlichen Lehramtes genügend erreicht werden kann. Zu dieser geistesgeschichtlichen und geistessoziologischen Situation, die eine gewisse Relativierung auch lehramtlicher authentischer Erklärungen der Kirche notwendig macht und gebietet, kommt noch ein „logisches" Moment hinzu. Eine lehramtliche Äußerung kann entweder in einem bloßen Nein zu einem Satz ergehen, der von profaner oder privat theologischer Seite aufgestellt wurde, oder sie kann selbst von sich aus eine positive Inhaltlichkeit haben, oder sie kann in einer nicht völlig geklärten Weise das eine und das andere zugleich bedeuten. Im ersten Fall der bloßen, in etwa anathematisierenden Verwerfung eines Satzes entsteht dann die Frage, was nun positiv zu halten ist. Wenn man genau zusieht, wird mindestens in den meisten Fällen das mit diesem Anathem „positiv" gelehrte kontradiktorische Gegenteil eines solchen verworfenen Satzes gar keine positive Inhaltlichkeit haben, bringt also die mit dem verworfenen Satz gestellte Frage nicht wirklich weiter. Dazu kommt, daß man in einem solchen Fall meist nicht deutlich erkennen kann, ob eine solche Verwerfung eines Satzes mehr ist als eine bloße, wenn auch eventuell sinnvolle und vom Gesamtbewußtsein der Kirche her gebotene Sprachregelung. (Wenn die Kirche z. B. lehren würde, das Geschehen in der Eucharistie sei keine „Transfinalisation", was wüßte man dann von der Sache mehr, als daß man dieses Wort im kirchlichen Sprachgebrauch nicht unbedenklich verwenden dürfe?) Dazu kommt in diesem ersten Fall noch Folgendes: Faktisch sind die auf diese Weise verworfenen Begriffe meist oder immer vieldeutig, ohne daß es dem Lehramt möglich ist, eine genau abgrenzende Definition des Sinnes des Wortes zu geben, der abgelehnt wird, zumal ja das Lehramt nicht in der Lage ist, seinen eigenen Sinn eines solchen abgelehnten Begriffes allgemein verbindlich zu machen. (Wenn z. B. die Kirche erklärt hat oder erklären würde, Sozialismus sei mit dem Christentum unvereinbar, dann entsteht doch die Frage, was in einer solchen Erklärung mit Sozialismus gemeint sei; es wird für das kirchliche Lehramt schwierig oder gar unmöglich sein, einen solchen Begriff eindeutig zu definieren, und noch schwerer, eine solche Begriffsbestimmung faktisch allgemein zu machen, so daß man eindeutig sagen könne, jemand der sich für Sozialismus in seinem Sinn erkläre, stelle sich eindeutig und sicher gegen das Christentum). Kirchliche Lehräußerungen, die rein negativ arbeiten, helfen heute nicht wirklich weiter und müssen mindestens die Diskussion darüber offen lassen, was mit einem solchen verworfenen Begriff wirklich gemeint sei, was nicht gemeint sei, was unter Umständen gemeint werden könne, ohne unter dieses lehramtliche Verdikt zu fallen. Das alles letztlich darum, weil mindestens in den meisten Fällen (wir wollen uns nicht zu sehr auf das Glatteis der Logik begeben) das kontradiktorische Gegenteil eines Begriffes selbst keine eindeutige Inhaltlichkeit hat, auf die man sich durch eine solche Verwerfung sicher verpflichtet halten müßte. Bedenken wir nun die zweite der oben genannten Möglichkeiten, in der eine lehramtliche Erklärung formuliert wird. Dann entstehen fast unvermeidlich die Schwierigkeiten aus der geistesgeschichtlichen und geistessoziologischen Situation von heute, die wir schon ins Auge gefaßt haben. Alle solche Begriffe, die dann zu einer positiven Aussage verwandt werden, erhalten, wenn sie mit dem Ganzen der philosophischen, anthropologischen, naturwissenschaftlichen Erkenntnisse von heute konfrontiert werden, wenn die Unmöglichkeit einer solchen adäquaten Konfrontation für das konkrete Lehramt einkalkuliert wird, wenn die unverrechenbare und unüberholbare Differenz der Meinungen innerhalb jeder Wissenschaft mitbedacht wird, eine solche Randunschärfe und Ungenauigkeit, daß es mehr ist, eindeutig festzustellen, daß, wer einen solchen Satz nicht annimmt, auch wirklich dem widerspricht, was der eigentlich meint, der diesen Satz aufstellt. Von der dritten

Möglichkeit, von der gesprochen wurde, braucht nicht eigens noch gesprochen zu werden, weil sie die Schwierigkeiten der beiden erstgenannten Möglichkeiten nur kombiniert. Mit diesen Überlegungen soll natürlich nicht gesagt werden, daß man heute überhaupt nicht mehr miteinander verständlich reden könne oder daß das kirchliche Lehramt keine Sätze in den drei genannten Weisen mehr formulieren und mit einer schon genannten relativen Verbindlichkeit vortragen könne oder dürfe. Es ist damit nur gesagt, daß solche Sätze wegen der Unmöglichkeit eines adäquat überschaubaren und vollendeten Bezugssystems für das Verständnis der in solchen Sätzen verwendeten Begriffe immer für bisher nicht in Betracht gezogene Verständnishorizonte und Konfrontationen dieser Begriffe mit bisher nicht verwendeten Erkenntnissen offengehalten werden müssen, daß also die Diskussion weitergehen kann und muß und die spätere theologische Arbeit nicht einfach bloß in einer Apologetik für solche kirchenlehramtlichen Erklärungen bestehen kann. Man darf nicht sagen, daß eine bloß relative Verbindlichkeit solcher lehramtlichen Erklärungen, die eine weitere Diskussion bis zu deren Bestreitung offenläßt, keine sei. Überall im Leben gibt es solche relativen Verbindlichkeiten: In Ermessensurteilen, in der Abwägung zwischen größeren und geringeren Wahrscheinlichkeiten, bei der durchaus die – vorläufige – Pflicht bestehen kann, nach der größeren Wahrscheinlichkeit zu handeln und ihr auch theoretisch ein größeres Gewicht zuzuerkennen, in der Strategie und Methodik der Lenkung der Forschung, die nicht gleichzeitig in alle Richtungen hinein sich bewegen kann usw. Von dem intellektuellen Ethos, das für die Würdigung solcher relativen Verbindlichkeiten notwendig ist, um sie weder zu bagatellisieren noch sie zu verabsolutieren, kann hier nicht weiter gesprochen werden. Es ist freilich in der Theologie die Voraussetzung dafür, daß das kirchliche Lehramt nicht in Versuchung kommt, gewisse Lehräußerungen, die es macht, nicht selber mit einem Pathos der Absolutheit vorzutragen (das seiner eigentlichen Absicht im Grunde widerspricht), weil es den Eindruck hat, seine Erklärungen würden unter den Theologen bagatellisiert und zu einer beliebigen theologischen Meinung abgewertet, wenn sie von diesem Lehramt nicht mit diesem Pathos vorgetragen werden.

An sich wäre bei dieser geistesgeschichtlichen und geistessoziologischen Situation von heute die Frage fällig, die aber hier nur noch genannt und nicht wirklich beantwortet werden kann, warum all das eben über solche authentischen Lehräußerungen der Kirche Gesagte nicht auch in gleicher Weise für die Sätze gelte, die eigentliches Dogma der Kirche aussagen. Daß das Gesagte auch in etwa faktisch das eigentliche Dogma affiziert, kann nicht bestritten werden. Diesbezüglich wurden auch schon früher einige Andeutungen gemacht. (Was heißt z.B. ,,Transsubstantiation'', die in einer Definition vorkommt, wenn dieser Begriff mit der heutigen Philosophie und der heutigen Physik konfrontiert wird und man nicht mehr so leicht, wie es noch Pius XII. getan hat, der Meinung sein kann, ein solcher theologischer Begriff liege in einem Bereich allgemeiner Verständlichkeit, der schlechthin diesseits der genannten Wissenschaften liege? Was ist genau gemeint mit dem Begriff der ,,Unfehlbarkeit'', der in der Definition des ersten Vatikanums verwendet wird, und was nicht? Solche und ähnliche Fragen ließen sich noch sehr viele stellen, die zeigen würden, daß die Probleme, die sich für authentische, nicht definierende Lehräußerungen uns ergeben haben, auch das Dogma der Kirche und die Reflexion der Theologie auf es nicht einfach schlechthin unberührt lassen.) Aber es wäre falsch, würde man meinen, das wirkliche Dogma der Kirche sei in einfach gleicher Weise von den genannten Problemen betroffen, die wir für authentische Lehräußerungen der Kirche genannt haben. Warum dies nicht der Fall ist, kann hier nun nicht mehr erläutert werden. Es wäre aber eine noch nicht erfüllte Aufgabe der Theologie, diesen Unterschied deutlich zu machen. Man könnte dabei (das sei nur noch gesagt) von der Frage ausgehen, warum es denn, was niemand leugnet, außer dem eigentlichen (eventuell sich geschichtlich weiterartikulierenden) Dogma der Kirche überhaupt Lehren gibt, denen die theologische Qualifikation des absolut verbindlichen Glaubenssatzes nicht zukommt, warum es nicht einfach bloß Dogma gibt und jenseits dessen nur absolut freie Meinungen. Bei dieser Frage kann man doch wohl nicht der Meinung sein, solche authentischen Lehrerklärungen, die kein Dogma sind, seien nur Sätze, die im Glaubensbewußtsein der Kirche „noch nicht" zur Reife eines Dogmas gediehen seien, aber alle dahin sich auf dem Wege befinden. Solche Sätze mag es zwar auch geben, weil es sie nach Ausweis der Dogmengeschichte schon gegeben hat, auch wenn die Wahrscheinlichkeit, daß in Zukunft solche authentischen Lehrsätze sich zu neuen Dogmen entwickeln, die nicht nur das alte Dogma in neuer Form bekräftigen, bei der heutigen geistesgeschichtlichen, pluralistischen Situation nicht groß zu sein scheint. Aber grundsätzlich wird es doch den Unterschied zwischen dogmatischen und authentischen Sätzen als bleibenden geben, der nicht nach vorne in einer dogmengeschichtlichen Zukunft ganz abgeschafft werden wird. Und dann entsteht die Frage, die wir eben gestellt haben. Sie wird nur beantwortet werden können durch ein genaueres Bedenken der qualitativen Eigenart materialer Art des Dogmas, dem von dieser Eigenart her eine innere Grenze gegenüber authentischen (und nie einfach überflüssig werdenden) Lehrsätzen der Kirche gesetzt ist. Wenn die innere Einheit der Dogmen und ihr ursprünglicher einer Grund bedacht würde und sich von da aus dann ergeben würde, daß diese Dogmen nicht als eine bloße äußere und beliebig vermehrbare Summe von Sätzen verstanden werden können, wenn diese Einheit etwa gedacht werden könnte als in der absoluten Selbstzusage Gottes bestehend, die in Jesus, dem Gekreuzigten und Auferstandenen eschatologisch irreversibel geworden ist, dann könnte einerseits verständlich werden, warum das eine Dogma der Kirche nicht einfach in gleicher Weise der geschichtlichen Relativität authentischer Lehräußerungen der Kirche trotz der Geschichtlichkeit seiner Aussage unterliegt, und anderseits deutlich werden, warum es nicht in eine leere dogmengeschichtliche Zukunft hinein beliebig vermehrbar ist. Freilich würde sich dann vermutlich zeigen, daß man die Dogmengeschichte mindestens ebenso gut als Konzentration wie als Entfaltung deuten kann. Aber wie gesagt, auf diese ganze, gewiß nicht unwichtige Frage kann hier nicht weiter eingegangen werden. Hier muß der Hinweis genügen, daß die Überlegungen über die Offenheit authentischer Lehräußerungen der Kirche für eine weitere Diskussion auch in der Öffentlichkeit der Kirche von der Sache her nicht einfach in gleichem Sinne auf das Dogma der Kirche übertragen werden kann. Alles was von S. 45 an gesagt wurde, war ein Exkurs und ein Versuch einer etwas eingehenderen Erläuterung und Begründung des Prinzips, das wir oben bezüglich des Verhaltens des kirchlichen Lehramtes gegenüber einer weiteren Diskussion seiner authentischen Erklärungen aufgestellt haben. Wir nehmen nach diesem Exkurs den Gang unserer Überlegungen von Nr. 3 dieses Abschnittes II wieder auf.

Es ist natürlich im konkreten Einzelfall nicht immer leicht zu sagen, ob der eben besprochene Fall eines Konflikts eines Theologen mit einer authentischen Lehre des Lehramtes vorliegt oder ob es sich doch um einen Konflikt mit einem eigentlichen Dogma der Kirche handelt, für den grundsätzlich andere Prinzipien, die wir schon genannt haben, gelten. Wo diese Unklarheit besteht, würde sich das Lehramt nichts vergeben und seine Pflicht nicht verletzen, wenn es tolerant gegenüber dieser Unklarheit zunächst einmal die Auseinandersetzung der Theologen untereinander abwarten würde, bis einigermaßen klar ist, ob es sich in der Sache und für das normale Glaubensbewußtsein der Theologen und des Kirchenvolkes (zwei Dinge, die nicht einfach identisch sind) um einen wirklich dogmatischen Konflikt oder nicht handelt.

Auch bei diesen Lehrkonflikten bezüglich einer authentisch, aber nicht definitorisch vorgetragenen Lehre des kirchlichen Amtes hat das Amt heute mehr wie früher die Aufgabe und die Pflicht, selbst positiv, argumentativ und werbend und nicht zu rasch einfach verdammend für die Lehre einzutreten, die nach seiner Überzeugung richtig ist. Das Amt hat dafür durchaus genügend Möglichkeiten, vorausgesetzt nur, daß es in der Römischen Glaubenskongregation sich nicht bloß der Hilfe von ein paar römischen Theologen bedient, sondern auch andere Theologen aus der ganzen Welt heranzieht. In dieser Hinsicht ist noch keine wirkliche Zusammenarbeit zwischen der Glaubenskongregation und der Internationalen Römischen Theologenkommission gefunden und institutionalisiert worden. Die Glaubenskongregation arbeitet auch heute noch zu sehr wie ein Geheimtribunal, dessen Prozedur, Informationsquellen, Träger der Verantwortung usw. trotz der Angaben des Annuario Pontificio sehr undurchsichtig sind. Zu ihrer Toleranz würde auch ein größeres Maß von Transparenz gehören. Aber auch legitime Ämter haben die Tendenz, Bürokratien zu werden und sich in einem Geheimnis abzuschirmen. Zur Toleranz von unten gehört es darum auch, mit Geduld die Langsamkeit der Weiterentwicklung solcher Ämter zu ertragen. Zu solcher Geduld gehört es freilich auch, immer wieder laut und deutlich solche Verbesserungen und ein rascheres Tempo dieser Veränderungen zu fordern.

III.

Wir kommen zu den Lebenskonflikten und der Toleranz, die bei solchen erforderlich ist. Mit Lebenskonflikten meinen wir alle Konflikte zwischen Christen und dem kirchlichen Amt, die es gibt und die sich nicht unmittelbar auf die kirchliche Lehre beziehen. Solche Lebenskonflikte sachlicher und personaler Art kann es geben und gibt es auf den verschiedensten Gebieten des kirchlichen Lebens. Sachliche Meinungsverschiedenheiten bezüglich der konkreten Gestaltung der Liturgie, des Kirchenrechtes, der kirchlichen Administration; personale Konflikte bezüglich der richtigen Besetzung kirchlicher Amtsstellen usw. Solche Konflikte, die noch einmal die verschiedensten Amtsstufen höheren und niedrigeren Grades, bis zu möglichen Konflikten zwischen Papst und Bischofssynode betreffen können, sind vermutlich zahlreicher als Lehrkonflikte, auch wenn sie sich in der Mehrzahl der Fälle der Öffentlichkeit entziehen. Es kann hier, da wir die große Differenz solcher Konfliktsmöglichkeiten untereinander in deren sehr verschiedenen Wesen und Gewicht nicht analysieren können, über alle diese Fälle kaum noch etwas gesagt werden. Wir müssen im großen und ganzen zurückweisen auf das, was wir im ersten Teil über Konflikte und Toleranz im allgemeinen gesagt haben, so wenig und so allgemein das dort Gesagte geblieben ist. Nur auf zwei Dinge sei noch aufmerksam gemacht.

In den Fragen, die hier nun anstehen, wird es sich (ähnlich wie auf dem Gebiet der Gesellschaftspolitik, der Wirtschaft usw.) in den meisten Fällen um Ermessensfragen handeln, Fragen also, die in verschiedener Weise beantwortet werden können, ohne durch die eine oder andere Beantwortung unaufgebbare Normen oder Werte in der Kirche zu verletzen. Fragen also, deren Beantwortung einen grundsätzlich variablen und immer wieder neu zu findenden Ausgleich zwischen mehreren zu respektierenden Normen und Werten festlegt. Solche Festlegungen, die hier und jetzt durchaus notwendig sein können und auch den verpflichten, der sie anders getroffen wünscht und dies auch sagen darf, sollten von dem Entscheidungsträger solcher Ermessensurteile nicht mit dem Pathos vorgetragen werden, sie seien unbedingt und unzweifelhaft die einzig richtigen. Wo mit solchem Pathos solche Ermessensurteile gefällt werden, macht sich das Amt nur scheinbar und für kurze Zeit seine Aufgabe leichter. In solchen Fällen darf das Amt nicht voraussetzen, die Kirche sei eine Menge von halbunmündigen Leuten, denen gegenüber man eine Anordnung nur durchsetzen könne, wenn sie mit dem Schein begleitet wird, sie sei einzig und für allemal die unbedingt richtige. Dazu kommt noch Folgendes, wie immer man es von der Würde der Freiheit der Menschen oder von der Lebendigkeit und der Wirksamkeit der Kirche gerade in einer heutigen Zeit mit ihrer demokratischen Mentalität begründen mag: Das kirchliche Amt hat nicht das Recht oder mindestens nicht die Pflicht, in solchen Ermessensfragen eine Entscheidung zu treffen, die, auch wenn sie „an sich" sinnvoll wäre, dem eindeutigen Willen der großen Majorität der Kirchenmitglieder widerspricht. Beispiele für solche Fälle brauchen wohl hier nicht genannt zu werden. Differenzen zwischen der Mentalität der kirchlichen Amtsträger und der des Kirchenvolkes sind nicht selten. Sie können sowohl dadurch auftreten, daß die Amtskirche einer traditionelleren Mentalität huldigt, als auch dadurch, daß es umgekehrt ist. Das Amt in der Kirche hat gewiß das Recht, werbend und bewußtseinsbildend in solchen Ermessenfällen, die das Dogma und die Verfassung der Kirche juris divini nicht berühren, sich um eine Bildung oder Veränderung des Bewußtseins des Kirchenvolkes dazu hin zu bemühen, daß dieses Bewußtsein besser mit dem eigenen übereinstimmt. So etwas gibt es in jeder Gesellschaft und ist darum auch in der Kirche legitim. Nur muß man nicht meinen, so etwas könne durch bloße Anordnungen unter Berufung auf die formale Autorität des Amtes geschehen. Aber wenn eine Differenz zwischen der Meinung des Amtes und der des Kirchenvolkes besteht in Sachen, die mindestens letztlich von beiden Seiten als Ermessensfragen anerkannt sind, wenn praktisch eine solche Differenz nicht zugunsten der Meinung und der Absichten des Amtes aufgehoben werden kann, wenn eine deutliche Majorität im Kirchenvolk gegen die beim Amt an sich bestehende (und sich unter Umständen in gesatzte Normen konkretisiert habende) Meinung und Tendenz besteht, wenn aus irgendwelchen Gründen doch in solchen Sachen die Praxis der Kirche einheitlich sein muß (was gewiß nicht immer und überall der Fall sein muß, wenn man einen legitimen Pluralismus in den Regionalkirchen nicht übersieht), dann ist es angebracht, daß das Amt seine Haltung und seine Anordnungen zugunsten dessen modifiziert, was als Wunsch und Wille in der breiten Masse des Kirchenvolkes gegeben ist. Man sollte in solchen Fällen auf eine solche Akkommodation des Amtes und seiner Maßnahmen an die Mentalität des Kirchenvolkes nicht so lange warten müssen, bis durch den Weitergang der Geschichte und der Abfolge der Generationen auch bei den Amtsträgern sich auch schon von selbst die Mentalität der von unten her aufsteigenden Amtsträger geändert hat. (Die Anerkennung der Tatsache, daß der Kirchenstaat eine durch die geschichtliche Entwicklung überholte Sache ist, hätte zum Beispiel schneller erfolgen können, als es geschehen ist, wenn man deutlich das eben formulierte Prinzip gesehen und anerkannt hätte. In der Römischen Frage ging durch Jahrzehnte die eben erwähnte Bewußtseinsbildung des Kirchenvolkes durch das Amt der Kirche faktisch in die falsche Richtung.) Wie gesagt, ergibt sich das Prinzip einer in bestimmten Grenzen durchaus legitimen Akkommodationswilligkeit des kirchlichen Amtes an die faktischen Tendenzen und Bedürfnisse der Majorität des Kirchenvolkes aus den verschiedensten Gründen: Das Amt in der Kirche ist nicht der einzige Punkt einfach souveräner Art, an dem der Geist in die Kirche führend und weitertreibend einwirkt; die Freiheit der Menschen in der Kirche hat eine eigene Würde auch da, wo es sich um Dinge des Ermessens handelt, wo diese Freiheit nicht behaupten kann, sie fordere das einzig Richtige und Notwendige; wo diese Akkommodationswilligkeit des Amtes in größerem Maße defizitär ist, entstehen überflüssige Resignation, Verdrossenheit, Reibungswiderstände, die nicht sein müßten. Natürlich ist es in solchen Fällen praktisch nie so (schon wegen der geschichtlichen und kulturellen Ungleichzeitigkeit der Bewußtseine der Menschen in der Kirche), daß das Amt in der Kirche sich nicht auch beim Widerstand gegen eine solche Akkommodation auf Gruppen und Schichten in der Kirche berufen könnte, die seinen Widerstand teilen und billigen. Aber es gibt doch gewiß in solchen Fragen viele Fälle, in denen bei unbefangener Betrachtung der Situation und, wenn man nicht in einer klerikal gettohaften Mentalität die sogenannten „Randgruppen" in der Kirche von vornherein abschreibt, klar ist, wo die Majorität des Kirchenvolkes in einer bestimmten Frage steht. (So etwas scheint z. B. mindestens in Mitteleuropa klar gewesen zu sein hinsichtlich der Frage der Erlaubtheit der sogenannten Handkommunion. Diese Frage konnte freilich gelöst werden durch die Erlaubtheit sowohl der Handkommunion wie der Mundkommunion. Aber so etwas müßte doch auch z. B. in Italien möglich sein, ja sogar dann, wenn eventuell da nur eine respektable Minorität der Christen für die Handkommunion gegeben sein sollte, weil, wie gesagt, auch Fälle denkbar sind, in denen gar keine einzige und für alle gleichmäßig verbindliche Entscheidung erforderlich ist und dann das bisher Gesagte auch für Fälle gelten kann, in denen eine bestimmte Praxis nur von einer, allerdings respektablen, Minorität des Kirchenvolkes gewünscht wird.) Solche Akkommodationswilligkeit des Amtes gehört auch in den Bereich der Toleranz, die es üben muß. In solchen Ermessensfragen ist auch auf der anderen Seite Toleranz am Platz: diejenigen, gegen deren Wunsch und Willen in solchen Fällen die Entscheidung des Amtes getroffen wird, müssen sie unbefangen und nüchtern tolerieren und dürfen sie nicht zu einer Frage auf Tod und Leben hochspielen. (Man denke z. B. an den Widerstand gewisser Kreise gegen die neue Liturgie, ein Widerstand, der törichterweise da und dort bis zu schismatischen Erscheinungen geführt hat.)

Auf eine zweite Frage sei noch hingewiesen. Alle solche Lebenskonflikte haben etwas mit dem zu tun, was man kirchlichen Gehorsam zu nennen pflegt, zu dem sich ja ein Priester bei seiner Ordination dem Bischof gegenüber noch einmal ausdrücklich und in einer amtsspezifischen Weise bekennt. Es kann nicht bezweifelt werden, daß es so etwas wie Gehorsam, wie in jeder Gesellschaft, so auch in einer eigentümlichen Weise in der Kirche gibt und geben muß, gleichgültig, wie man die gemeinte Bereitschaft und Entschlossenheit, eine legitim getroffene Entscheidung einer höheren Instanz anzuerkennen und zu befolgen, nennen mag, gleichgültig, wie man Wesen und Würde einer solchen kirchlichen Entscheidungsinstanz in der Dimension der Praxis theologisch genauer interpretieren wird. Es gibt nun zweifellos sehr viele Fälle, in denen ein einer solchen Entscheidungsinstanz Untergeordneter einerseits die Sachgemäßheit einer Entscheidung (welche Sachgemäßheit grundsätzlich auch eine Pflicht des Amtes bedeutet) bezweifelt oder bestreitet und dennoch nicht behaupten kann, daß die Befolgung dieser Entscheidung gegen sein sittliches Gewissen verstoße und also ihn zu einer Sünde verpflichte. Handkommunion in Italien mag die heute auch in Italien menschlich und sachlich empfehlenswertere Weise der Kommunionspendung sein; ein normaler italienischer Pfarrer wird aber nicht behaupten können, daß die Mundkommunion, die da noch Vorschrift ist, ihn im Normalfall zu einer Sünde zwinge, die er ablehnen müsse. In solchen Fällen ist schlicht zu gehorchen, wenigstens im Normalfall, was nicht ausschließt, daß man das Recht, ja vielleicht sogar die Verpflichtung hat, höhere Stellen immer wieder mutig und eindringlich auf die sachliche Ungemäßheit ihrer Entscheidungen hinzuweisen und eine Änderung dieser Entscheidungen zu fordern. Wir sagen: im Normalfall, weil der einzelne bei praktischen Lebensnormen, die meist auf Ermessensurteilen basieren, durchaus im Einzelfall das Recht haben kann, ohne nochmals vorher das Amt um Genehmigung ersucht zu haben, von der „Epikie" Gebrauch zu machen in Mut und Freiheit des Geistes, weil die „Epikie" (ja selbst die Lehre von der „Nichtrezeption" eines Gesetzes durch das „Volk"), wie sie bei den Moralisten und Kanonisten orthodoxer Gesinnung entwickelt ist, keine bloße abstrakte Theorie bleiben darf. Es gibt aber gewiß auch andere Fälle. Man soll nicht so tun, als ob es in der Kirche praktisch nicht Fälle geben könne, in denen einerseits das Amt bona fide eine Entscheidung trifft, die anderseits der Untergeordnete nach seinem eigenen Gewissensurteil nur mit einer wenigstens subjektiven Schuld meint erfüllen zu können, sei es, daß diese Entscheidung dem Untergeordneten in einem einzelnen Fall, sei es ganz im allgemeinen zur Sünde zu verpflichten scheint. Wenn ein Untergeordneter in einem solchen Einzelfall sich auch nicht durch Epikie der Beobachtung dieser Entscheidung meint entziehen zu können oder wenn er die Anordnung im allgemeinen als gegen sein eigenes Gewissen verstoßend ablehnen zu müssen überzeugt ist, dann hat er nicht nur das Recht und die Pflicht, die Befolgung dieser Anordnung für seinen Teil zu unterlassen, sondern auch diese Unterlassung, also seine Weigerung, der Anordnung nachzukommen, bescheiden, aber auch mutig und eindeutig zur Kenntnis zu bringen. Die höhere Stelle hat grundsätzlich und im allgemeinen gesprochen die Pflicht, dieses Gewissensurteil des Untergeordneten zu respektieren, Toleranz zu üben, wenn man diese Pflicht so nennen will, sie darf keine Versuche illegitimer, die Würde des Gewissens verletzender Art unternehmen, den Untergeordneten von seinem Gewissensurteil abzubringen, sie hat die Pflicht, Nachteile von einem solchen Untergeordneten fernzuhalten (z. B. bei einer in einem solchen Falle vielleicht nicht vermeidbaren Amtsenthebung, Versetzung, anderen Verwendung usw.): Solche Toleranz des Amtes heute muß als reale Möglichkeit heute deutlich sein. Da auch der Untergebene präsumieren muß, daß die höhere Stelle bona fide, d. h. also nach eigenem wohlunterrichtetem Gewissensurteil, ihre Entscheidung getroffen hat, hat auch der Untergeordnete die Pflicht der Toleranz, d. h.

des menschlichen Respekts vor der Gewissensentscheidung der höheren Stelle, er hat kein Recht zu einem wilden Revoluzzertum, in dem er sich nicht nur in Berufung auf das eigene Gewissen von einer Einzelentscheidung des Amtes distanziert, sondern durch sein Reden und Tun die grundsätzliche Legitimität des Amtes bestreitet oder dessen Funktionsfähigkeit im Ganzen in Gefahr bringt. Es ist natürlich darüber hinaus der Fall denkbar, daß in einem bestimmten solchen Fall das Amt bona fide, objektiv oder wenigstens subjektiv richtig, zur Überzeugung gelangt, daß die Weigerung des Untergeordneten, einer bestimmten Entscheidung nachzukommen, eine prinzipielle Bestreitung des Amtes und der notwendigen Einheit in der Praxis der Kirche impliziert. So muß und wird es in den meisten der hier anvisierten Fälle nicht sein; aber grundsätzlich ist ein solcher Fall denkbar, auch wenn nur mit sehr großer, behutsamer Toleranz mit einem solchen Fall gerechnet werden muß. In einem solchen Fall, wenn er wirklich gegeben ist, hätten wir gewissermaßen auf der Ebene der Praxis einen Fall, der analog ist zu dem Fall, in dem ein Christ zur Lehrautorität der Kirche bezüglich der dogmatischen Substanz des christlichen Glaubens in Konflikt kommt. Er dürfte als „Schismatiker" betrachtet werden, der vom Amt unter Respektierung seines dezidierten Gewissensurteils eingeladen werden müßte, aus der Kirche auszuscheiden, auch wenn es in einem solchen Fall keine dogmatische Gewißheit darüber gibt, daß das Amt bei einem solchen Trennungsstrich in jedem Fall objektiv richtig handelt. In dem Falle der geduldigen Hinnahme eines solchen – eventuell objektiv nicht richtigen – Trennungsurteils von seiten des Amtes wäre bei dem Getrennten, der Corpore, aber nicht Corde von der Kirche getrennt wäre (um mit Augustinus zu reden), so ungefähr der extremste Fall einer Toleranz gegeben, den ein Christ dem Amt der Kirche entgegenbringen kann. Man soll nicht rasch einen Konfliktsfall in dieser Weise interpretieren, wie es, wenn ich recht sehe, vor einigen Jahren da und dort geschehen ist, aber unmöglich ist ein solcher Fall auch nicht. Er muß auch vom Amt der Kirche toleriert werden.

*

Wir haben scheinbar von sehr vielen Dingen gesprochen, die mit Toleranz in der Kirche wenig oder nichts zu tun haben. Aber wenn man von Toleranz sprechen soll und nicht bloß vage und billige Imperative verkünden will, muß man von den verschiedenen Situationen sprechen, die, und zwar jeweils in ganz verschiedener Weise, so etwas wie Toleranz erfordern, Situationen, von denen her erst deutlich werden kann, was mit Toleranz in der Kirche überhaupt gemeint sein kann. Es schadet dann nichts, wenn sich dabei herausstellt, daß die, die solche Toleranz üben müssen, und die Weisen solcher Übung sehr verschieden sind, daß z. B. Toleranz nicht nur von den Amtsträgern in der Kirche verlangt werden muß. So verschieden diese Weisen der Toleranz, die sich herausgestellt haben, auch sein mögen, so leiten sich doch alle letztlich von der Tatsache her, die in der laufenden Geschichte der menschlichen Existenz unaufhebbar bleibt, daß nämlich in dieser Geschichte eine letzte Unversöhnbarkeit menschlicher Freiheiten untereinander besteht und diese Tatsache in Geduld, in Toleranz hingenommen und ertragen werden muß. Denn selbst dort, wo eine Konfliktsbereinigung in einer gewissen Weise möglich ist, selbstverständlich angestrebt und auch nach Kräften erreicht werden muß, ist die Versöhntheit der ursprünglichen und ursprünglich disparaten Freiheiten, tiefer und radikaler gesehen, immer noch nicht erreicht, ist im besten Fall ein Kompromiß erzielt, ist die Koexistenz dieser Freiheiten einigermaßen „erträglich" geworden, das Reich der versöhnten Freiheiten in voller Freiheit aller Freiheiten immer noch die ausstehende Hoffnung der Ewigkeit. Darum aber gibt es nur verschiedene Grade und Weisen, in denen eine immer vorläufige und prekäre Koexistenz der Freiheiten erzielt werden kann, und eben diese sehr variierende, immer vorläufige und immer wieder neu in Geduld anzustrebende Koexistenz der Freiheiten in möglichst viel Freiheit und Frieden ist das, was in Hoffnung auf die ewige Versöhnung angenommen und als Vorläufiges ertragen, „toleriert" werden muß. Von daher ist es letztlich auch verständlich, daß es Fälle geben kann (so sehr sie nach Kräften auch vermieden und in Grenzen gehalten werden sollen), in denen eine „Intoleranz" von beiden Seiten in einem Konflikt nicht vermieden werden kann: Die Intoleranz des freien Gewissens, das urteilt, sich in die Entscheidung des Amtes in Lehre und Praxis nicht einordnen zu können und nicht zu dürfen, und die Intoleranz von der anderen Seite, diese Entscheidung innerhalb der Kirche nicht dulden zu können. Solche Konflikte sollten nach Kräften möglichst vermieden werden, sie sind aber möglich und können in dieser laufenden Geschichte des Menschen und der Kirche Wirklichkeit werden; treten sie ein, lassen sie sich nicht bewältigen, dann müssen sie noch einmal in Geduld, in Toleranz hingenommen werden, in der der Mensch und die Kirche das letzte Urteil dem ewigen Herrn der Geschichte, der von niemandem vertreten wird, überlassen, dem Herrn, der allein die letzte Versöhnung am Ende der Geschichte wirken und uns schenken wird, in der keine Toleranz mehr nötig sein wird.

Freiheit und Manipulation
in Gesellschaft und Kirche

Das Thema, über das hier gehandelt werden soll, ist gewiß nicht sehr neu und originell. Aber es ist von großer und bleibender Aktualität, so daß es sich immer wieder lohnt, aufs neue darüber nachzudenken.

Bevor wir das Thema unmittelbar in Angriff nehmen, ist eine Vorbemerkung unerläßlich. Der Gegenstand unserer Überlegung gehört zunächst einmal in den Gegenstandsbereich der Soziologie und Politologie, also der Gesellschaftswissenschaften, und vielleicht auch noch in den einer philosophischen Anthropologie vom Menschen als einem gesellschaftlichen Wesen. Je konkreter ein Thema aus diesem Wirklichkeitsbereich ist (und Manipulation deutet doch letztlich auf sehr konkrete Wirklichkeiten hin), um so größer und exklusiver wird die Kompetenz des Soziologen für ein solches Thema. Nun bin ich aber kein Soziologe; ich beherrsche nicht einmal das begriffliche Instrumentar der Gesellschaftswissenschaften. Ich kann also keine unmittelbare Kompetenz für dieses Thema in Anspruch nehmen. Immerhin jedoch ist mir aufgefallen, daß in den heutigen (1970) gängigen Wörterbüchern zur Staatswissenschaft und Soziologie ,,Manipulation'' noch gar kein eigenes Stichwort ist. Der Nicht-Fachmann braucht sich also nicht zu eindeutig von der Erörterung dieses Begriffes ausgeschlossen zu halten. Wenn der Theologe, und zwar als ein solcher und nicht als Amateur der Gesellschaftswissenschaften, zu diesem Thema etwas sagen darf, dann ist die Berechtigung *für ihn selbst* darin gelegen, daß er seine eigene Theologie von deren Wesen aus nicht als eine regional begrenzte Wissenschaft auffassen kann, weil die Theologie, wenn auch unter einem ganz bestimmten Aspekt, es mit dem Menchen im *ganzen* und in allen seinen Dimensionen zu tun hat. Der Theologe wird gegenüber dem *Gesellschaftswissenschaftler* bei der Beschäftigung mit diesem Thema dann sich rechtfertigen können, wenn er aus seiner eigenen Theologie als solcher heraus Überlegungen und vielleicht Einsichten anzubieten vermag, die auch den Soziologen interessieren können. Ob diese aposteriorische Rechtfertigung einer theologischen Überlegung vor dem Soziologen tatsächlich gelingt, kann erst der Ausgang dieser Überlegung zeigen. Wenn betont wird, daß es sich für uns hier und heute um ein theologisches Unternehmen handelt und nicht um die Überlegung eines Fachsoziologen, dann muß dazu noch gesagt werden, daß selbst diese theologischen Überlegungen noch einmal sehr fragmentarisch und willkürlich ausgewählt sind.

Es soll zunächst versucht werden, einige theologische Anmerkungen zu den beiden Begriffen Freiheit und Manipulation im Titel des Vortrags zu machen. Dann kann etwas zum Verhältnis beider Begriffe zueinander gesagt und so das konkrete Problem deutlich gemacht werden, das mit der Überschrift dieses Vortrags eigentlich gemeint ist. Endlich sollen einige Konsequenzen aus diesen theologischen Überlegungen über die beiden Begriffe und deren Verhältnis zueinander dargelegt werden.

I.

Zunächst zum Begriff der Freiheit selbst. Vielleicht muß man sich eigentlich darüber wundern, wie selbstverständlich heute den Kämpfern für mehr Freiheit in der Gesellschaft im allgemeinen und in der Kirche das Wort Freiheit über die Lippen und in die Feder kommt. Was mit diesem Wort im Ernst gemeint sein kann, ist nicht so leicht zu sagen, wie viele Freiheitskämpfer glauben. Dunkel ist ja schon, was in einem psychologischen Sinne verantwortliche Wahlfreiheit ist und wie sie begründet und verifiziert werden könne; dunkel ist, wie sie sich zur gesellschaftlichen Freiheit verhält und warum diese letztlich nicht ohne jene gedacht werden kann, obwohl beide nicht einfach identisch sind; dunkel ist, wie und warum Freiheit (in diesem und jenem Sinne) einerseits als sie selber und als solche sein soll und doch nicht von ihrer Bezogenheit auf eine bestimmte Inhaltlichkeit, die selber sein soll, emanzipiert werden darf, sondern Freiheit für etwas ist und dieser Bezugspunkt, der Gegenstand der freien Tat, darüber mitentscheidet, ob diese Freiheit gut oder schlecht ist, wirklich sein soll oder nicht; dunkel ist in etwa, warum und wie dennoch die Freiheit nicht in dem Augenblick schlechthin ihr Recht gegenüber anderen kreatürlichen Freiheiten und Mächten verliert, in dem sie das sittlich Schlechte und Nicht-Sein-Sollende erwählt. Der Theologe müßte sogar an sich von vornherein darauf hinweisen, daß bei näherem Zusehen der Begriff und die Wirklichkeit der Freiheit sich immer wieder der Reflexion in jene Unbegreiflichkeit hinein entzieht, in der im letzten der Mensch und Gott wohnen. Freilich muß dann der Theologe bei diesem Satz sich selbst und die anderen vor dem Mißverständnis dieses Satzes warnen, die Freiheit werde dadurch so mystifiziert, daß sich ein konkreter Kampf für sie gar nicht lohne oder gar nicht möglich sei. Die Proklamation des Mysteriencharakters der Freiheit dispensiert nicht von einem Kampf um die konkreten Möglichkeiten einer solchen Freiheit in der Gesellschaft und in der Kirche, sondern bedeutet nur eine grundlegende Warnung vor der Gefahr, Freiheit mit etwas anderem zu verwechseln, etwas schon für Freiheit oder größeren Freiheitsraum zu halten, bloß weil es einen alten Zwang oder eine alte Enge des Freiheitsraumes, die bisher bestand, beseitigt.

Es seien zunächst in aller Kürze einige theologische Thesen über die Freiheit in einer etwas willkürlichen Auswahl aufgestellt. Freiheit in einem streng theologischen Sinn, wie er im Neuen Testament als Freiheit auf Gott hin durch das Pneuma in Jesus Christus gegeben ist, also Freiheit gegenüber den versklavenden Mächten der Sünde, des Todes, des radikalen Egoismus, der Gott und den Nächsten nicht eigentlich lieben kann, und Freiheit in einem gesellschaftlichen Sinn (und zwar sowohl in der profanen Gesellschaft wie in der Kirche selbst als einer gesellschaftlichen Größe) haben etwas miteinander zu tun. Es ist hier nicht der Ort, genauer über das Wesen und die existentielle Verifizierbarkeit dieser religiösen Freiheit zu sprechen, zu zeigen, daß sie keine Ideologie ist, die für die Wirklichkeit des Menschen von keiner realen Bedeutung ist, daß sie auch nicht die jetzt untergehende Projektion einer gesellschaftlichen Freiheit ins Jenseits der realen Welt sei, einer Freiheit, die erst jetzt real errungen werden könne, damit aber auch die Mythologie der religiösen Freiheit überflüssig mache. Hier muß aber dieses gesagt werden: Die Vorstellung, der Mensch sei als Christ oder als philosophisches Freiheitssubjekt immer noch frei, auch wenn er in Ketten geboren wird, ist höchst bedenklich, wenn nicht grundfalsch. Das ergibt sich schon daraus, daß ein Mensch dem anderen durch Mord an der biologischen oder psychologischen Wirklichkeit des Menschen die Möglichkeit der Freiheit auch im theologischen Sinne entreißen kann. Selbst wenn man dies bestreiten und behaupten wollte, kein Mensch könne dem anderen *schlechthin jede* Möglichkeit eines Vollzuges der religiösen Freiheit gänzlich entziehen, weil der andere trotzdem sich noch einmal frei zu einem solchen Versuch verhalten könne, so dürfte auch dann ein wesentliches Beziehungsverhältnis der religiösen Freiheit auf die gesellschaftliche als der Bedingung der Möglichkeit jener nicht geleugnet werden.

Kreatürliche Freiheit auch als solche des religiösen Subjekts der Liebe zu Gott und zum Menschen, also des Subjekts des Heiles, braucht notwendig einen raum-zeitlichen, kategorialen Freiheitsraum, und zwar auch in der Gesellschaft. Dieser Freiheitsraum ist in seiner Größe, konkreten Inhaltlichkeit und Struktur gewiß sehr variabel, geschichtlich bedingt und (wie wir später ausführlich zu sagen haben) weithin manipulierbar. Das ändert aber nichts an der grundsätzlichen Tatsache, daß kreatürliche Freiheit sich nur (auch als religiöse und theologische) am Material der Welt, der Geschichte und somit auch der Gesellschaft vollziehen kann, daß also eine gesellschaftliche Freiheit und deren Veränderung unmittelbar eine theologische Relevanz für jene Freiheit haben, die das Christentum als die Befreiung des Menschen auf Gott hin und durch seine Gnade verkündigt. Sowenig vielleicht die ursprüngliche christliche Botschaft in einer *früheren statischen* Welt und konkret kaum veränderbaren Gesellschaft auf die gesellschaftliche Freiheit als Bedingung der Möglichkeit der religiösen Freiheit reflektierte, sondern den profanen Freiheitsraum gesellschaftlicher Art in seiner Eigenart und Begrenztheit eher als einfach gegeben und praktisch unveränderlich voraussetzte, obwohl er auch als Raum der religiösen Freiheit gewußt wurde, so ist dennoch grundsätzlich zu sagen, daß das Christentum an der gesellschaftlichen Freiheit prinzipiell interessiert ist und diese Frage in *dem* Augenblick eine Frage der christlichen Praxis von höchster Aktualität wird, in dem dieser Freiheitsraum konkret durch die planende Tat des Menschen selbst und nicht bloß durch die erlittene und langsame Entwicklung ungeplanter Art veränderlich wird. Ist Freiheit im neutestamentlichen Sinne der zentrale Inhalt der christlichen Botschaft selbst, dann gehört eben grundsätzlich und erst recht heute auch die gesellschaftliche Freiheit zu dieser Botschaft. Mit dieser Herleitung der gesellschaftlichen Freiheit und des gesellschaftlichen Freiheitsraumes aus der Botschaft des Christentums von der religiösen Freiheit gegenüber allen „Mächten und Gewalten" soll nicht gesagt sein, daß die Wirklichkeit und die Würde der gesellschaftlichen Freiheit *nur so* begründet werden könnten. Eine profane „Selbstverständlichkeit" der „bürgerlichen" Freiheit soll gar nicht geleugnet werden, zumal ein wirkliches, gewissermaßen verifizierbares Verständnis für die religiöse Freiheit grundsätzlich und erst recht heute bedingt ist durch eine Erfahrung gesellschaftlicher Freiheit, schon weil alle religiösen Begriffe profane als Bedingung ihrer Möglichkeit voraussetzen, auch wenn jene nicht bloß mythologische Chiffren für diese sind.

Bei diesem gegenseitigen Bedingungsverhältnis zwischen religiöser Freiheit und bürgerlicher Freiheit samt einem gesellschaftlichen Freiheitsraum hat auch die gesellschaftliche Freiheit als solche selbst ihre eigene Würde und ihr eigenes Sein-Sollen. Sie bezieht ihr Recht und ihre Würde nicht bloß von dem her, *was* durch sie realisiert wird, und aus dem Grund, daß diese Realisation sonst praktisch weniger gut erzielt werden könnte (zum Beispiel daß die erwünschte Menge und Art der Konsumgüter leichter in einer freien Marktwirtschaft als in einer zwangshaften Planwirtschaft erzielt werden), diese gesellschaftliche Freiheit soll als sie selber sein, selbst dann noch, wenn „es" (das heißt das durch sie Objektivierte) auch ohne sie ebenso oder vielleicht sogar besser „ginge". Das ergibt sich (mindestens einmal in einer theologischen Begründung) aus der Tatsache, daß der Mensch als theologisches Wesen in seiner Heilsfrage entweder Freiheitssubjekt ist oder gar nicht ist, Freiheit nicht nur eine Verfahrensweise für die Verwirklichung einer Sache (die unter Umständen auch anderswie zu haben wäre), sondern die Sache schlechthin selbst ist. Insofern und insoweit die gesellschaftliche Freiheit die Bedingung der Möglichkeit der religiösen Freiheit ist, gilt der Satz von der Würde der Freiheit an sich selbst auch von der gesellschaftlichen Freiheit. Wenn sich das religiöse Freiheitssubjekt in der freien und verantwortlichen Setzung seines Selbstvollzugs in Endgültigkeit hinein nur am Material der Welt vollziehen kann, wenn die Ewigkeit als Heil oder Unheil nicht etwas ist, was als ein anderes hinter dem zeitlichen Leben kommt, sondern die (wenn auch verwandelte) Endgültigkeit der realen Geschichte hier bedeutet, dann kann das Subjekt religiöser Freiheit nicht daran uninteressiert sein, an welchem Material von Welt es sich selbst vollzieht, kann ihm nicht gleichgültig sein, ob ihm ein großer oder kleiner Raum solcher religiöser und weltlicher Freiheitsentscheidung zu Gebote steht. Die profane Wirklichkeit, an der das Freiheitssubjekt als religiöses Heilssubjekt sich vollzieht, ist eben nicht nur die „Gelegenheit" und die vorübergehende Rolle, in der ein Spieler sich bewährt, um diese dann wieder abzulegen, sondern dasjenige, was wirklich selber eingeht in die Endgültigkeit des Freiheitssubjektes. Ist das Heil die gerettete Endgültigkeit dieses konkreten Lebens, dann kann es dem Heilssubjekt nicht gleichgültig sein, welche konkreten Lebensmöglichkeiten ihm tatsächlich geboten werden. Die wirklich geboten werden, sind so oder so Momente an seiner ewigen Endgültigkeit; die ihm versagt bleiben, bleiben für immer versagt. Ohne hier darauf näher eingehen zu können, muß betont werden, daß man sich theologisch vor der unsagbaren Gewichtigkeit dieser Einsicht nicht mit dem Gedanken drücken darf, der „Besitz" Gottes durch die Visio beata ersetze alle solchen Ausfälle, die durch das Versagtbleiben eines bestimmten Materials des Freiheitsvollzugs entstehen. Die konkrete Weise des unmittelbaren Besitzes Gottes ist selbst bestimmt durch die Konkretheit unseres irdischen Lebens. Und insofern ist die religiöse Freiheit mitbedingt durch die gesellschaftliche Freiheit und deren Freiheitsraum. Daß man in früheren Epochen der Theologie darauf wenig reflektierte, lag nicht in der Sache selbst, sondern war durch den unterdessen immer weniger gültig werdenden Umstand bedingt, daß die konkrete Freiheitssituation des Einzelnen weithin sehr unveränderlich und einer reflex geplanten Veränderung durch die Gesellschaft als solche selbst entzogen war.

Es sind nun einige theologische Bemerkungen nötig zum Begriff der Manipulation. Die kreatürliche Freiheit des

Menschen ist endlich. Das will sagen: es ist ihr notwendigerweise, soll sie selbst sein und sich vollziehen können, ein ganz bestimmtes endliches Material, eine innere und äußere Situation individuell und kollektiv vorgegeben, die endlich, geschichtlich bedingt und kontingent sind. Freiheit als von sich her unendliche vollzieht sich immer nur in einem endlichen Freiheitsraum, erfährt an ihm in einem eine „Göttlichkeit" und ihre Kreatürlichkeit. Die kontingente Endlichkeit des Freiheitsraumes ist schon gegeben durch Wirklichkeiten und Umstände, die der Freiheit aller Menschen vorausliegen, durch die Gesetze der Physik und der Biologie, durch physiologische und immer gegebene psychologische Gesetze im Menschen, auch wenn diese selbst noch einmal in einem gewissen Umfang Objekt eines verändernden Freiheitshandelns des Menschen sein mögen.

Diese ursächlich bestimmte Endlichkeit des Freiheitsraumes des Menschen kann noch nicht Manipuliertheit der Freiheit genannt werden. Wo aber die konkrete Bestimmtheit des Freiheitsraumes eines Einzelnen oder einer Gesellschaft selbst wieder Objektivation der Freiheit anderer ist, kann und muß diese Bestimmtheit Manipuliertheit der Freiheit genannt werden. Die Tat der Freiheit des einen, die – beabsichtigt oder unbeabsichtigt – den Freiheitsraum eines anderen *im voraus* zu dessen Zustimmung ändert, kann in einem metaphysisch-anthropologischen und in einem theologischen Sinne „Gewalt" oder eben „Manipulation" genannt werden, wobei beide Begriffe in einem sittlich zunächst neutralen Sinn verstanden werden können und müssen, da es ja auch eine der Zustimmung des anderen vorausgehende begrenzende Veränderung des Freiheitsraumes dieses anderen durch die Freiheit eines Menschen geben kann, die unvermeidlich und darum nicht notwendig unsittlich ist. Wenn man will, kann man natürlich auch unter Manipulation jene freie Veränderung des Freiheitsraumes eines anderen im voraus zu dessen Zustimmung verstehen, die entweder immer oder in einer bestimmten Situation unsittlich und so gegen die Freiheit dieses anderen gerichtet ist.

Wenn wir sagen, daß nicht jede freigewirkte Veränderung des Freiheitsraumes eines anderen im voraus zu dessen Zustimmung schon per definitionem unsittlich sei, dabei aber gleichzeitig doch daran festhalten, daß eine solche Veränderung und Eingrenzung des fremden Freiheitsraums ohne Zustimmung dieses anderen unsittlich sein kann, entsteht natürlich die Frage nach den Kriterien der Unterscheidung zwischen diesen beiden Möglichkeiten. Doch darauf kann im Augenblick nicht eingegangen werden. Wir selber gehen in unseren folgenden Überlegungen zunächst von dem neutralen Begriff von Manipulation aus.

Zunächst ist von solcher Manipulation von einem theologischen Standpunkt aus zu sagen, daß es solche Manipulation der Freiheit des einen durch den anderen unvermeidlich gibt. Einfach deshalb, weil jeder Vollzug einer Freiheit, die sein soll und die grundsätzlich immer raum-zeitlich, leibhaftig und sogar gesellschaftlich ist, unvermeidlich die Veränderung des Freiheitsraumes des anderen ist und gar nicht gedacht werden könnte, wenn sie in jedem Fall sich von der Zustimmung dieses anderen abhängig machen würde. Freiheit selbst hat von sich her etwas von gewalttätiger Manipulation des anderen an sich, im voraus zur Frage, unter welchen Voraussetzungen dieser Charakter gewalttätiger Manipulation der Freiheit (des einen) durch die Freiheit (des anderen) im konkreten Fall sittlich berechtigt sei oder nicht. Solche Manipulation des anderen haftet jeder Freiheit unreflex oder reflex an, und es ist eine relativ sekundäre Frage, ob diese Manipulation beabsichtigt ist oder nicht.

Solche Manipulation wird dort gesellschaftlich institutionell, wo die Bestimmtheit des Freiheitsraumes der Glieder einer Gesellschaft durch die Freiheit Einzelner dieser oder der früheren Gesellschaft eine gewisse Dauer und Allgemeinheit gewinnt. Das kann auf die verschiedenste

Weise geschehen: Durch allgemeine Denk- und Verhaltensmuster, die früherer Freiheit als deren Objektivationen entsprungen sind, also durch Gewohnheit, durch ein geschichtlich bedingtes Ethos einer Gesellschaft; weiter durch eigentliche, menschliche Gesetze, die als solche auch anders gedacht werden können; schließlich aber auch durch Schaffung einfacher, alle in Mitleidenschaft ziehender Realitäten von physischer, biologischer, technischer usw. Relevanz. Es ist selbstverständlich, daß diese verschiedenen Arten einer gesellschaftlichen Institutionalisiertheit von Manipulation untereinander in einem Verhältnis der Interdependenz stehen und den Menschen darum weithin zu einem unvermeidlich manipulierten Wesen machen.

Theologisch ist von solcher Manipuliertheit und vor allem auch von der gesellschaftlich institutionalisierten Manipuliertheit des Menschen zu sagen, daß sie objektiv sündig sein kann und sehr oft ist, und zwar auch dann, wenn gerade wegen dieser gesellschaftlichen und institutionellen Manipuliertheit des Menschen diese *als sündige* gar nicht bemerkt wird oder wenn die Bewußtmachung dieser Sündigkeit die erste Phase eines legitimen Kampfes gegen diese Manipuliertheit darstellt, der gegen jene geführt werden muß, die das Bewußtsein der „Unschuld" dieser institutionellen Manipulation aus Trägheit, Egoismus, Wille zur Macht usw. aufrechterhalten wollen. Diese faktisch oft gegebene Sündigkeit institutioneller Manipuliertheit gibt es, wie später noch zu sagen sein wird, auch in der Kirche.

Diese sündige institutionelle Manipuliertheit des Menschen, die, wie sich wohl von selbst versteht, durch sittliche Reflexion gar nicht *adäquat* von einer sittlich neutralen oder sogar guten Manipuliertheit des Einzelnen oder der Gesellschaft abgehoben werden kann, ist (theologisch gesprochen) ein Moment an der konkupiszenten Verfaßtheit des Menschen, weil und insofern *Konkupiszenz* nicht abstrakt gedacht und nicht auf eine psychologische Innerlichkeit des Menschen beschränkt werden darf, sondern alles umfaßt, was an der Freiheitssituation des Menschen, zu der eben auch das Gesellschaftliche gehört, von der Freiheit anderer mitbestimmt ist und aus der freien Schuld anderer entstammt, die Freiheitssituation des anderen agonal macht und selbst eine Dynamik zu neuer verkehrter Freiheitsentscheidung, zu Schuld beinhaltet.

Wir führen hier den alten theologischen Begriff der Konkupiszenz ein, weil, wenn die Manipuliertheit des menschlichen Freiheitsraumes als ein Moment an dem erkannt wird, was theologisch Konkupiszenz heißt, die alten theologischen Aussagen über die Konkupiszenz auf diese Manipuliertheit angewandt werden können. Nun besagt aber Konkupiszenz den vom Freiheitssubjekt nicht adäquat integrierbaren Pluralismus seiner Freiheitssituation. Ursachen dieser Unmöglichkeit, das Material der Freiheitsentscheidung adäquat in die Freiheitsentscheidung hineinzuintegrieren, sind aber nicht nur die widersprüchlichen Antriebe psychologischer Art, sondern auch jenes pluralistische Material der Freiheit selbst, das über das Psychologische und physiologisch Vitale hinaus auch von der Gesellschaft angeboten und bereitgestellt wird. Dieses Material hat einen konkupiszenten Charakter, insofern es sich wegen seiner eigenen Vielfältigkeit und Widersprüchlichkeit gegen eine adäquate Integration durch das Freiheitssubjekt in dessen Entscheidung hinein sperrt. Wir leben nicht nur darum in einer konkupiszenten Situation, weil zum Beispiel auch bei einer gnadenhaft guten Ausrichtung der Person auf Gott immer noch innere Antriebe dieser Ausrichtung widersprechen, sondern auch, weil unsere raum-zeitliche gesellschaftliche Situation, aus der heraus wir unvermeidlich leben, durch die Sünde so mitgeprägt ist, daß sie dauernd Antriebe liefert, die einer solchen guten Entscheidung auf Gott widersprechen und uns auch immer unvermeidlich zu Nutznießern einer Scheinordnung machen, die von sündigem Egoismus sowohl etabliert, als auch immer wieder aufs neue verteidigt wird. Darum gilt von dem sündig manipulierten

Freiheitsraum der Gesellschaft die Aussage des Trienter Konzils von der Konkupiszenz: Diese Sündigkeit muß von der Schuldhaftigkeit der eigentlichen, ursprünglichen Freiheitsentscheidung gegen Gott und gegen die Liebe des Nächsten unterschieden werden, so daß ihr gegenüber nicht einfach dasselbe radikale Pathos eines unerbittlichen Nein am Platz ist wie gegen die eigentliche Schuld im Zentrum der Person als dem Versagen der religiösen Freiheit; und doch darf diese konkupiszente Situation der unberechtigten und sogar der berechtigten Manipulation des Menschen auch nicht in dem Sinn verharmlost werden, als ob sie einfach etwas religiös und sittlich Neutrales wäre. Sie ist das Vorgegebene, das nicht sein soll, das verändert und abgeschafft werden soll, wenn auch in einer nie vollendeten Geschichte, ist das, was immer nur im Protest gegen es sein und ertragen werden darf.

Es gilt nun, diese beiden Begriffe, zu denen wir bisher getrennt einige theologische Bemerkungen gemacht haben, zu konfrontieren. Aus dem bisher Gesagten ergibt sich schon, daß der Mensch eine nie adäquat reflektierte und nie eigentlich statische Einheit von Freiheit und Freiheitsraum einerseits und Manipuliertheit (und zwar auch in der Dimension seiner Gesellschaftlichkeit) anderseits ist. Von extremen Fällen, die wir hier nicht zu bedenken brauchen, abgesehen, hat der Mensch immer einen nicht nur religiösen, sondern auch gesellschaftlichen Freiheitsraum, das heißt: Er kann nicht nur sein Heil in einer letzten Freiheit über sich vor Gott wirken, er hat dafür in *irgendeinem* Maß auch einen kategorialen, ja sogar gesellschaftlichen Freiheitsraum als Möglichkeit seiner profanen und damit und darin seiner religiösen Freiheit. Er ist nie der absolut Freie ohne jede Manipuliertheit, und er ist auch nie der absolut Manipulierte, dem schlechthin gar keine Wahlmöglichkeit kategorialer Art in der Gesellschaft zur Verfügung stünde. Diese immer gegebene Einheit von Freiheitsraum und seiner immer auch schon gegebenen Manipuliertheit ist darum aber noch lange nicht in jedem Fall ihrer Konkretheit legitim. Dieses Verhältnis von Freiheit und Manipuliertheit ist selbst kein statisches, sondern ein dauernd in der Geschichte sich veränderndes. Diese Veränderung ist nicht nur ein vom Menschen Erlittenes, sondern in einem geschichtlich steigenden Maß durch Freiheit selbst Realisierbares und Planbares. Die Freiheit hat eine Geschichte, die im wachsenden Maße der Freiheit selber anvertraut ist. Und insofern diese Freiheit, die nach sich selbst sucht, immer notwendig raum-zeitliche und auch gesellschaftliche Objektivationen hervorbringt (und sei es auch nur die Befreiung von den Ketten, die der andere sogar behalten will), ist diese Freiheitsgeschichte doch selber auch immer eine Geschichte neuer Manipulation der anderen, eine Veränderung des Freiheitsraumes, die andern ungefragt, unter Umständen in einer Art Zwangsbeglückung, auferlegt wird. Insofern trotz dieser eine Geschichte habenden Dialektik unaufhebbarer Art zwischen Freiheit und Manipulation die Freiheit das Seinsollende und die konkupiszente Situation der Manipulation das asymptotisch zu Überwindende ist, bleibt die Geschichte des Menschen grundsätzlich Freiheitsgeschichte im Kampf gegen die Manipulation und ist nicht nur Geschichte fortwährend anderer Manipulationen, die sich nur als Objektivationen und Ermöglichungen von Freiheit tarnen.

Mit diesen Aussagen über das Verhältnis von Freiheit und Manipulation ist noch keine Basis gegeben, von der aus das konkrete Verhältnis zwischen Freiheit und Manipulation eindeutig bestimmt werden könnte, von der aus ein eindeutiger Imperativ zu einer bestimmten verändernden Neubestimmung dieses konkreten Verhältnisses erzielt werden könnte. Die konkreten Imperative einer solchen seinsollenden Neubestimmung und Veränderung dieses Verhältnisses kommen bei aller Berechtigung und Notwendigkeit der theoretischen Reflexion immer nur aus der konkreten Entscheidung und geschichtlichen Tat selbst, die ihr eigenes Licht und ihre eigene Evidenz haben, die von der Orthopraxie nicht adäquat an die theoretische Vernunft und deren Orthodoxie vermittelt werden können. Das macht die Schwere und Härte solcher agonalen verändernden Neubestimmung des Verhältnisses von Freiheit und Manipulation aus. Diese Neubestimmung kann nie allein durch die theoretische Vernunft, also nie allein durch „Diskussion" erzielt werden, so notwendig solche Diskussion bleibt. Die Entscheidung, die dieses Verhältnis neu bestimmt, hat ferner in der Welt keinen einzelnen partikulären, ein für allemal legitimierten Träger, sondern geschieht in einem Kampf vieler, sosehr dieser Kampf, der der Geschichte selbst anvertraut bleibt, immer mehr humanisiert werden müßte, weil eben diese Humanisierung selbst eines der wesentlichsten Ziele dieser Veränderung ist. Wenn diese Entscheidung, die eine bestimmte Veränderung des Verhältnisses von Freiheitsraum und Manipulation bewirkt, keinen ein für allemal dafür legitimierten Träger hat, dann kann sie sich konkret einerseits nur ausweisen und rechtfertigen durch ihre faktische Effizienz, sie kann aber anderseits auch dadurch als illegitim entlarvt werden, daß einer gegen sie den Mut hat, mit dem Einsatz seiner eigenen Existenz an das Gericht Gottes zu appellieren und so selber noch einmal eine gesellschaftliche Realität zu schaffen, die der Entscheidung, gegen die protestiert wird, die Waage hält.

II.

Nach dieser Darlegung der Begriffe und ihres gegenseitigen Verhältnisses in einer theologischen Interpretation können wir nun versuchen, einige Konsequenzen daraus für unser Thema zu ziehen.

In dem Verhältnis zwischen Freiheit und Manipulation ereignet sich echte Freiheits*geschichte*. Dieses Verhältnis ist ja nicht statisch, sondern ein solches, das die Freiheit immer wieder zu ihren eigenen Gunsten neu bestimmen, also verändern will. Da es sich also um eine Veränderung handelt, die durch die Freiheit selber geschehen muß, wenn auch in einer ständigen Auseinandersetzung mit der Natur und den Momenten an der Geschichte, die, auf den Bedingungen der Natur aufruhend, einen Charakter von Notwendigkeit an sich tragen, so ist diese Veränderung wirklich Geschichte, das heißt eben das Werk derjenigen Freiheit, die sich selber immer noch sucht, sich selbst aufgegeben ist, von ihrer eigenen Bestimmung abfallen und sich selber untreu werden kann.

Bei dieser Geschichte des Verhältnisses von Manipulation und Freiheit handelt es sich im letzten nicht um einen Vorgang, der am Modell zwanghaft ablaufender Entwicklung verständlich gemacht werden kann. Es handelt sich immer um eine kreative Geschichte, die die freie Verantwortung des Menschen anruft. Es kommt in ihr nichts von selbst, es geht nicht von selbst gut aus, diese Geschichte trägt letztlich kein Prinzip in sich, das als vorgegebenes schon garantieren würde, daß diese Geschichte ihr Ziel als innerweltliches wirklich erreicht, also zum Beispiel zu einem gegenüber früher wirklich und nicht nur scheinbar größeren Freiheitsraum kommt. Die Verheißung der glaubenden Hoffnung auf das Wort Gottes, daß die Geschichte im eschatologischen Reich Gottes wirklich ihre positive Vollendung findet, bedeutet noch keine Garantie dafür, daß *innerweltlich* der Kampf der Freiheit um einen größeren Freiheitsraum immer wieder siegreich ausgeht. Denn vom Worte Gottes her ist es ebenso denkbar, daß die eschatologische Ankunft des Reiches Gottes sich mehr durch die menschlichen Untergänge als durch die Siege der Menschheit vollzieht. Und das gilt auch hinsichtlich der immer neuen gesellschaftspolitischen Aufgabe der Menschheit. Sie bedeutet eine offene Geschichte, die auf Hoffnung und Verantwortung gestellt ist. Dies zumal, als solche Freiheitsgeschichte, weil sie sich bei der Kreatürlichkeit der Freiheit des Menschen immer durch gegenständliche Objektivationen hindurch vollziehen muß, immer auch die Geschichte des Werdens neuer

Zwänge, also einer Verstellung des Freiheitsraumes bedeutet.

Damit soll nicht gesagt sein, daß im Grunde im Hinblick auf Freiheit und Manipulation immer alles beim alten bleibt und die Geschichte zwar Veränderung, aber niemals Besserung schafft. So ist es schon darum nicht, weil in einer schon zwangsläufig anders werdenden Situation des Menschen die alte Manipuliertheit in einem späteren Zeitpunkt gar nicht die alte bleibt, sondern unvermeidlich einen anderen und unter Umständen schrecklicheren Charakter annimmt, im Verhältnis zu dem die Veränderung dieses Zwanges wirklich nicht nur eine Veränderung, sondern auch eine Besserung bedeutet. Was einmal unvermeidliche Bindung war, kann sich in eine Kette verwandeln, die wirklich zerrissen werden kann und soll.

Es ist nicht zu leugnen, daß der Christ gegenüber der Geschichte der gesellschaftlichen Freiheit in etwa sehr skeptisch ist und ihm das revolutionäre Pathos des zuversichtlichen Kampfes für einen Sieg der gesellschaftlichen Freiheit, der schon bald eintritt, weitgehend fehlt. Es ist erst recht zuzugeben, daß mindestens in den letzten Jahrhunderten der Amtskirche als solcher und im ganzen ein solches Pathos revolutionären oder rasch evolutiven Freiheitswillens gefehlt hat zugunsten einer konservativen, das Bestehende ängstlich erhalten wollenden Gesinnung. Wir werden noch zu sagen haben, wie gefährlich und zweideutig und gar nicht selbstverständlich eine solche konservative Gesinnung ist, die gesellschaftliche Veränderungen eher widerwillig erleidet als mutig selber in Freiheit heraufführt. Aber zunächst ist doch zu sagen, daß die christliche Skepsis auch gegenüber der Freiheitsgeschichte nicht einfach und schlechthin falsch und verwerflich ist. Wenn die Manipulation das ist, was aus Freiheit selber immer wieder entsteht, kann sich diese Freiheitsgeschichte innerweltlich nie einen absoluten Sieg versprechen, durch den der Mensch für den Einzelnen und die Gesellschaft als solche jede Selbstentfremdung überwunden hätte. Gerade weil die Geschichte von sich selber her keinen angebbaren, projektierbaren und planbaren Endzustand der Vollendung kennt, sosehr die Geschichte, weil sie Geschichte ist, Überraschungen in sich bergen kann, die von uns heute her gesehen fast wie das Ende der Geschichte erscheinen mögen, kann der Christ kein innerweltliches Paradies innerhalb der Geschichte erwarten, in dem nur noch die Freiheit ohne jedwede Manipulation herrscht. Und wenn der Christ gerade in seiner eschatologischen Hoffnung auf die absolute Zukunft, auf die absolute Freiheit der Kinder Gottes weiß, daß dieser endgültige Sieg immer hindurchgeht durch den Tod, der mindestens für den Einzelnen unvermeidlich und der Höhepunkt seiner Ohnmacht und Manipuliertheit ist, dann kann der Christ am wenigsten einem ungebrochen innerweltlichen Hoffnungspathos huldigen. Er bleibt in all dem in etwa der Skeptiker, der sich nicht wundert über eine Geschichte, die bei aller heutigen Planbarkeit ins Ungeplante führt und immer aufs neue in Zwänge hinein bis zu tödlichen Abstürzen führt.

Unterscheidet sich diese christliche Haltung somit von einem ,,naiven" Glauben an einen innerweltlichen endgültigen Sieg der Freiheit im Kampf gegen alle Manipulation, *wenn* es einen solchen naiven Glauben wirklich gibt, und zwar nicht nur in der Theorie, sondern in der Praxis des Lebens, so meint der Christ nicht, daß er durch seine Skepsis gehindert würde, in entschlossener Tat seinen Beitrag zu dieser Geschichte des Kampfes um die Freiheit zu leisten. Er hat ihn im Lauf der Geschichte gewiß oft *nicht* geleistet. Daß er ihn aber nicht leisten *kann*, daß seine Skepsis gegenüber der Geschichte und ihrer innerweltlichen Hoffnung ihn grundsätzlich an einem solchen Beitrag hindert, das müßte erst noch bewiesen werden. Die Entscheidung in dieser Frage läßt sich durch reine Theorie gar nicht erzwingen, sie wird gefällt durch die Geschichte selbst, die ja noch offen ist und so den Christen noch fragt, ob er die Tat

erbringt, die die offene Frage zu seinen Gunsten ent-
scheidet.

Doch im voraus zu dieser erst noch zu treffenden Entscheidung hält sich der Christ zu einer solchen Skepsis berechtigt, weil einmal die Frage letztlich gar nicht eindeutig
entschieden werden kann, ob sein bisheriger, aus dieser
Skepsis entspringender Konservativismus absolut sicher
verwerflich war oder vielleicht doch nur der gerade *ihm* vom
unbegreiflichen Herrn der Geschichte, dessen Repräsentant
auch die Kirche nicht ist, zugeteilte Auftrag in der vom
Menschen gar nicht verwaltbaren Geschichte antagonisti-
scher Momente. Der Christ ist zweitens von der Legitimität
einer solchen grundsätzlichen Skepsis gegenüber der Freiheitsgeschichte überzeugt, weil er der Meinung ist, daß eine
solche Skepsis auch, wenigstens grundsätzlich, der Sache der
Freiheit positiv dient. Denn diese Skepsis ist nur ein Moment, die andere Seite an seiner eschatologischen Hoffnung
auf das ewige Leben, das, wenn auch als Frucht und Vollendung der Geschichte, doch als die Fülle Gottes selbst *über*
der Geschichte steht. Mit einer solchen absoluten Hoffnung,
also mit einer solchen Skepsis, läßt sich aber grundsätzlich
mutiger und radikaler für innerweltliche Freiheit kämpfen,
weil ein solcher Kämpfer wirklich nichts verlieren kann, was
er wirklich absolut braucht.

Gerade in einer solchen skeptischen Haltung muß aber
der Christ sehen, daß sie ihm nicht zur Versuchung eines
sterilen Konservativismus wird, der bloß das von der Vergangenheit her gegebene Verhältnis von Freiheit und Manipulation in der Gesellschaft aufrechterhalten will. Daß eine
solche Skepsis, falsch verstanden, eine Versuchung zu einem
solchen gesellschaftspolitischen Konservativismus werden
kann und schon oft genug geworden ist, braucht wohl nicht
noch eigens erläutert zu werden. Diese Versuchung widerspricht aber im Grunde dem wahren Wesen dieser Skepsis
und ist nicht deren echte Folge. Denn die dieser Skepsis
zugrunde liegende absolute Hoffnung auf das von Gott zu

gebende und nicht vom Menschen allein herstellbare Reich Gottes darf ja nicht nur ein Theorem einer christlichen Ideologie sein, diese Hoffnung muß vielmehr eine reale, im Handeln an der Welt vermittelte Tat sein. Dieser Tat der Hoffnung aber verweigert sich jener Konservativismus, der ein Bestehendes als unter allen Umständen zu Bewahrendes festhält, ebenso wie jener utopische Revolutionär, der ein innerweltlich Künftiges absolut setzt und von vornherein und unbesehen alles Überlieferte diesem zu opfern bereit ist. Der bloß Konservative ist gar nicht der glaubend das Reich Gottes Erhoffende. Er vielmehr ist gerade der, der den Spatzen in der Hand nicht fliegen läßt in der Hoffnung auf die Taube auf dem Dach. Der aber, der ohne Rückversicherung ein gesichert Überkommenes untergehen läßt zugunsten eines noch nicht Wirklichen, sondern nur Erhofften, realisiert in dem innerweltlichen Mut zum noch Künftigen eher jene eschatologische Hoffnung, ohne die der Christ sein Heil nicht finden kann. Der Christ muß die immer neue Veränderung des Verhältnisses zwischen Freiheit und Manipulation in der Gesellschaft wollen und dafür arbeiten und kämpfen, weil diese Tat die notwendige Vermittlung seiner eschatologischen Hoffnung ist, wenn diese nicht reine, fromme Ideologie sein soll.

Damit ist natürlich nicht gesagt, daß die konkrete Gestalt dieser Tat, die dem Christen entspricht, nicht anders sein dürfte als diejenige, die denen eigen ist, die, wie Paulus formuliert, ,,keine Hoffnung haben". Diese christliche Aufgabe der Veränderung des Verhältnisses zwischen Freiheit und Manipulation in der Gesellschaft muß entsprechen: den durchschnittlichen Bedingungen des menschlichen Handelns; dem Respekt vor der Würde jedes Menschen, der heute nicht einfach zugunsten des Menschen von morgen verbraucht werden darf; der christlichen Skepsis, die nicht nur dem Überlieferten, sondern auch dem innerweltlich Künftigen gegenüber angebracht ist. Dieser Wille muß normalerweise Evolution und nicht Revolution wollen. Aber es ist nach christlicher Lehre nicht unmöglich, daß eine bestimmte Situation ein Handeln gebieten kann, das nach einer normalen soziologischen Terminologie Revolution und nicht Evolution genannt werden muß. Man muß mit einer solchen Möglichkeit nach Pius XI. rechnen, auch wenn der Christ in seinem skeptischen Realismus es ablehnen wird, das Christentum als Imperativ zur permanenten Revolution zu deuten. Dies wird er schon darum ablehnen, weil in einer solchen Theorie das Wort Revolution einen wirklich angebbaren Sinn verliert.

Es ist in diesem Beitrag schon zweimal gesagt worden, daß die Christen und die Kirche in den letzten Jahrhunderten im großen und ganzen nicht gerade die Bannerträger der Freiheitsgeschichte waren, in der um mehr Freiheit in der Gesellschaft gekämpft wird. Die dezidierten Christen in ihrer Mehrheit und die amtliche Kirche im ganzen haben dieser Freiheitsgeschichte mit Mißtrauen gegenübergestanden. Sie waren Kritiker und Warner, nicht eigentlich Träger dieser Geschichte. Das wird man sagen müssen, auch wenn man auf diese oder jene geschichtlichen Ereignisse wie auf die Haltung des belgischen Episkopats in der staatlichen Emanzipation von 1830, auf die Haltung O'Connels im irischen Freiheitskampf usf. hinweisen kann. Solche löblichen Ereignisse, in denen die Kirche nicht auf der Seite der „Herrschenden" stand, mögen beweisen, daß die Kirche von ihrem letzten Wesensverständnis her nicht notwendig konservativ (in einem konkret-geschichtlichen Sinne des Wortes) ist. Aber darum entspringt die Meinung, die Kirche habe in den letzten Jahrhunderten – und zwar eher gegen ein letztes christliches Weltverständnis – zu sehr auf seiten der „Herrschenden" gegen die Freiheit gestanden, doch nicht einer „historischen Ignoranz" und ist keine „groteske Verzerrung der Kirchengeschichte", wie Hans Maier es nennt. Wenn man ein etwas älterer Christ und Theologe ist und ein gewisses kritisches Verhältnis zu sich selbst hat, kann man sich, als einem Normalprodukt der faktischen Kirche der letzten Jahrhunderte, ohne viel historische Gelehrsamkeit feststellen, wie sehr man doch instinktiv konservativ empfindet und allem unerprobten Neuen mit einem geheimen ängstlichen Mißtrauen gegenübertritt. Jedenfalls ist trotz allen Wirrwarrs in Welt und Kirche dem Christen und der Kirche heute die Aufgabe gestellt, entschlossen diese Freiheitsgeschichte mitzutragen. Christ und Kirche kommen dadurch gar nicht in ein unkritisches und distanzloses Verhältnis zur Gesellschaft und zur „Welt", wie diese faktisch sind. Denn eben diese Gesellschaft bedroht doch heute in neuer Weise die Freiheit des Menschen, so daß ein Kampf für diese Freiheit den Christen gerade in eine kritische Distanz zur Welt setzt. Das konkrete Verhältnis zwischen legitimer, unvermeidlicher Manipulation und Freiheit läßt sich gewiß nicht ein für allemal bestimmen und dekretieren. Viele Zwänge, die durch rationale Wissenschaft und Technik in einer Gesellschaft mit einer Bevölkerungsexplosion und gesteigerten und konkret unvermeidlichen Konsumansprüchen gegeben sind, lassen sich gewiß nicht aus der Welt schaffen. Aber darum sind noch längst nicht alle Manipulationen einer technokratischen, auf Konsum eindeutig fixierten Gesellschaft legitim. Ein Kampf gegen solche Manipulation identifiziert den Christen nicht in einer falschen Weise mit der profanen und sündigen Gesellschaft und ihren Strukturen, sondern distanziert ihn von ihr.

Ein solcher Kampf um mehr Freiheit in der Gesellschaft kann heute und morgen deshalb für den Christen die ihm unerbittlich abverlangte Aufgabe in einem ganz neuen Sinne werden, weil es sein kann (wer kann es genau sagen?), daß bald einmal ein Maximum an recht verstandener Freiheit in der Dimension der Gesellschaft die Minimalvoraussetzung für den weiteren Bestand der Gesellschaft wird. Freiheit bedeutet ja als Aufgabe und Ziel der Gesellschaft als solcher nicht die Willkür des Einzelnen, der nach seinem unreflektierten Belieben tut, was er will. Freiheit in diesem gesellschaftlichen Sinne bedeutet möglichst weitgehenden

Schutz vor der Manipulation des Einzelnen und der Gesellschaft durch partikuläre und anonym bleibende Mächte und Gruppen in der Gesellschaft, bedeutet möglichste Anteilnahme des Einzelnen am gesellschaftlichen Prozeß, der darum, soweit wie nur möglich, öffentlich und rational durchschaubar gemacht werden muß, bedeutet natürlich auch die Hilfestellung der Gesellschaft für den Einzelnen, damit er seine persönliche, bis zur eigentlich religiösen Freiheit reichende Freiheit durch ein optimales Freiheitsmaterial wahrnehmen kann, und damit für die Gesellschaft die Pflicht zur Bereitstellung eines solchen Materials, aus dem jeder in eigener Verantwortung nach eigener Entscheidung auswählt, um das in Freiheit zu werden, was er wirklich von der Mitte seiner Subjekthaftigkeit her sein will.

Wird die Freiheit so verstanden, dann ist es durchaus möglich, daß ein sehr hoher, bisher nicht erreichter Grad von solcher Freiheit die Minimalvoraussetzung für das Überleben der Menschheit ist, weil sie sonst vom atomaren Selbstmord oder einer anderen denkbaren Form solchen kollektiven Selbstmords unmittelbar bedroht ist. Sowenig aber der einzelne Mensch durch Suicid die Ankunft des Reiches Gottes in seiner individuellen Geschichte erzwingen darf, sosehr der Einzelne die Pflicht hat, für ein möglichst langes und erfülltes irdisches Leben als Geschichte seiner ewigen Vollendung zu sorgen, so wenig hat der Christ das Recht, einem kollektiven Selbstmord der Menschheit tatenlos entgegenzusehen, weil ja dadurch jenes Reich Gottes komme, um dessen Ankunft er täglich bittet. Der Wille zu weiterer Geschichte der Menschheit ist eine Pflicht des Christen. Ist dieser Wille aber, wie es doch scheint, nur gegeben in einem entschlossenen Willen zu größerer Freiheit möglichst aller Menschen in dem eben noch einmal angedeuteten Sinn, dann ist für den Christen die Situation und Pflicht einer solchen Aufgabe gegeben, wie sie bisher nicht bestanden hat, weil nun langsam das Ideale auch zum Lebensnotwendigen zu werden scheint.

Man kann vielleicht sagen, daß über die theoretischen Prinzipien der Verpflichtung zum Kampf gegen nichtsein-sollende Manipulation für einen größeren Freiheitsraum kein Streit herrscht. Daß wir Christen aber in einem genügenden und heute notwendigen Maße diesen theoretischen Einsichten in der Praxis entsprechen, muß man wohl sehr eindeutig bezweifeln. Arbeiten denn wirklich die Christen heute in genügender Zahl und genügender Entschlossenheit unter wirklichem Verzicht auf ihren individuellen Egoismus und auf den ihrer engeren gesellschaftlichen Gruppe so an einer freiheitlichen und gerechten Gesellschaftsordnung, daß die Bedrohung dieser Gesellschaft durch totalitäre Mächte von innen her und nicht bloß durch ABC-Waffen überwunden wird? Wenn Entwicklungshilfe für die unter-entwickelten Völker nur ein anderes Wort für die Aufgabe ist, diesen Völkern einen größeren und innerlich reicheren Freiheitsraum einzuräumen, haben wir Christen dann un-sere Pflicht der Freiheit gegenüber erfüllt, wenn „Popu-lorum progressio" Pauls VI. durch unsere eigene Schuld der wirkungslose Ruf eines Propheten in der Wüste von Kon-sumgier und Gleichgültigkeit geblieben ist? Ein konkreter Imperativ von gesellschaftspolitischer Relevanz läßt sich aus theoretisch-theologischen Überlegungen allein nie ableiten. Die Praxis selbst ist für den Menschen immer die größere Verheißung und das unerbittlichere Gericht, als alle Theorie es sein kann. Wie aber, wenn wir schon dann versagen, wenn wir an den theoretischen Maßstäben allein gemessen wer-den?

III.

Was wir bisher über Freiheit und Manipulation des Men-schen in der Gesellschaft, über das unvermeidliche dialekti-sche Verhältnis der beiden Größen und über die dennoch bestehende Aufgabe, den Freiheitsraum des Menschen in ei-ner gesellschaftlichen Freiheitsgeschichte immer wieder zu erweitern, gesagt haben, gilt nun auch für die *Kirche,* unbeschadet der Eigentümlichkeit ihres Wesens gegenüber jeder anderen Gesellschaft. Denn auch sie ist eine menschliche Gesellschaft. Und darum gibt es in ihr Freiheit und Manipulation in dialektischer Einheit und gibt es die Aufgabe, diesen Freiheitsraum zu hüten, in seiner Würde anzuerkennen und immer wieder aufs neue in der Kirche selbst zu erweitern.

Es gibt in der Kirche Manipulation. Es gibt sie unvermeidlich, weil auch in der Kirche als Gesellschaft das legitime freie Handeln des einen eine verändernde Bestimmung des Freiheitsraumes des anderen ist, und zwar, mindestens in den meisten Fällen, im voraus zu dessen Zustimmung. Es gibt *sündige* Manipulation in der Kirche, weil die Kirche, und zwar auch in ihren Amtsträgern, immer auch eine Kirche der Sünder ist unbeschadet jener Heiligkeit, die wir ihr in Glaubenshoffnung zuerkennen als der Kirche, die nie endgültig als ganze aus Gottes Wahrheit und Gottes Gnade herausfallen kann, wenn auch diese Heiligkeit (objektiver und subjektiver Art) nie als einfach empirisch feststellbare Tatsache gegeben ist, sondern nur als immer neue Hoffnung und immer neue Aufgabe, die Gottes Gnade durch unsere eigene freie Verantwortung hindurch tun will.

Diese Manipulation in der Kirche ist als unvermeidlich unschuldige und als sündige *gnoseologisch* gegeben, insofern auch das Kerygma und die Theologie der Kirche in einem Pluralismus von Wahrheiten gegeben sind, die nie einfach in ein einziges positiv durchschautes System integriert werden können, und insofern die faktische Lehrverkündigung und Theologie der Kirche immer auch mitbestimmt sind durch sündigen theologischen Hochmut, durch sündige Voreiligkeit und Ungeduld, durch Härte, wo sie nicht am Platz ist, und so fort.

Die Manipulation ist als unvermeidlich legitime und als sündige gegeben in der *zwischenmenschlichen Interkommunikation* der Glieder der Kirche, also auch im Verhältnis zwischen Kirchenvolk und Hierarchie. Ich sage: unschuldig legitime Manipulation, weil solche kirchliche Interkommunikation immer auch unvermeidlich kontingente, an sich auch anders sein könnende Tat der Freiheit des einen ist, die den Freiheitsraum des anderen einengt, ohne diesen anderen vorher gefragt zu haben. Ich sage: *sündige* Interkommunikation, weil es selbstverständlich ist, daß die Menschen der Kirche, oben und unten, ob sie es zugestehen und reflektieren oder nicht, Sünder sind und darum auch die kirchliche Interkommunikation von unten nach oben und von oben nach unten das Stigma der menschlichen Sündigkeit, der Lieblosigkeit, der Aggressivität, der Intoleranz, des Machtwillens usw. an sich trägt. Diese Selbstverständlichkeit ist zu betonen, weil einmal diese Sündigkeit der Menschen die *kirchliche* Interkommunikation ebenso mitbestimmt wie alle anderen menschlichen Dimensionen und weil es bekannt ist, daß diejenigen, die die Macht innehaben, auch in der Kirche es viel leichter haben, die Sündigkeit ihrer Beziehung zu den anderen zu tarnen in scheinbarer Toleranz, Geduld, Höflichkeit usw., was alles dazu benutzt werden kann, unter dem Schein des Selbstverständlichen den Besitz illegitimer Machtansprüche zu rechtfertigen.

Die Manipulation in der Kirche kann unschuldig und sündig schließlich auch *institutionell* objektiviert sein. Daß alles Institutionelle eine Bestimmung und Begrenzung des kirchlichen Freiheitsraumes bedeutet, also mindestens eine unschuldige Manipulation ist, braucht nicht eigens erklärt zu werden. Mindestens nicht für die Fälle des Institutionellen, die „iuris humani" sind, also einer menschlichen Entscheidung, die nicht von vornherein und im gleichen Maße die aller ist, entspringen. Es muß aber betont werden, daß es auch im Institutionellen der Kirche durchaus so etwas wie eine sündige Manipulation gibt. Nicht nur in dem Sinn, daß Institutionelles in seiner Existenz unter subjektiver Schuld (der lieblosen Härte, des ungerechten Dranges zu Uniformität usw.) entstanden ist, sondern auch in dem Sinn, daß dieses Institutionelle in diesem oder jenem seiner Momente und letztlich ohne eine adäquate Trennbarkeit durch die Sünde mitgeprägt ist. Einfach gesagt: Es ist durchaus möglich, daß es zum Beispiel kirchliche Gesetze iuris humani, als normal betrachtete kirchliche Verwaltungspraxen und allgemein übliche pastorale Verfahrensweisen gibt, die nicht nur so sind, *wie* sie sind, weil sie menschlicher Schuld entspringen, sondern mindestens in dem Sinne selber sündig sind, in dem wir vorhin die Sündigkeit der konkupiszenten Situation des Menschen innerer und äußerer Art bestimmt haben. In der Kirche gibt es ferner in der genannten dialektischen Einheit mit der Manipulation Freiheit und Freiheitsraum, und zwar sowohl im Bezug auf die Freiheit in einem transzendental-religiösen, wie auch auf die Freiheit in einem kirchensoziologischen, kategorialen Sinn. Das erste ist schon impliziert in der Glaubensüberzeugung, daß die Kirche durch Lehre, Sakrament und Koinonia der Hoffnung und der Liebe der Ort ist, an dem jenes Heil geschieht, das nur in religiöser Freiheit verwirklicht wird, ja einfach die Vollendung dieser Freiheit selber *ist*. Das zweite ist gegeben, weil nach derselben Glaubensüberzeugung diese Kirche *als* geschichtliche und *gesellschaft*liche Wirklichkeit dieser Ort der religiösen Freiheit ist, so aber dieser Ort nur sein kann, wenn in ihr unaufhebbar auch ein Raum gesellschaftlicher Freiheit gegeben ist, an dem allein die religiöse Freiheit zum Heil vermittelt werden kann. Diese damit gegebene dialektische Einheit von Manipulation und Freiheit in der Kirche bedeutet aber keine statische Polarität zweier immer gleich gegebener Größen, sondern beinhaltet eine Freiheitsaufgabe und Freiheitsgeschichte. Auch in der Kirche muß dieser Freiheitsraum immer neu erkämpft, neu bestimmt und wo möglich erweitert werden. Schon die Lehre von den freien Charismen, die vom Institutionellen nicht ausgelöscht werden dürfen und auch nicht adäquat manipuliert werden können, impliziert diese These.

Die Geschichte der Kirche ist nicht im gleichen Sinne Manipulationsgeschichte und Freiheitsgeschichte. Sie dürfte es jedenfalls nicht sein. Sie müßte eine Tendenz zu einer, wenn auch nur asymptotisch erreichbaren, Aufhebung der konkupiszenten Manipuliertheit des Freiheitsraumes der Glieder der Kirche haben, was selbstverständlich nicht nur eine Aufgabe des Amtes in der Kirche ist, sondern auch eine solche aller Glieder, die sich auf jenen Punkt liebender Freiheit hinentwickeln müßten, an dem alles äußerlich Gesetzliche verschlungen und überflüssig wird durch die Freiheit der Kinder Gottes. Die Geschichte der Kirche müßte eine solche Freiheitsgeschichte sein auch im gesellschaftlichen Bereich der Kirche, weil gerade die Kirche als universales Sakrament der religiösen (das heißt der absoluten!) Freiheit am radikalsten unter allen Gesellschaften verpflichtet ist, den gesellschaftlichen Freiheitsraum bei sich selbst zu wahren und nach Kräften zu vergrößern. In ihr ist also Freiheit und nicht Manipulation am meisten dasjenige, was „in possessione" und im Zweifelsfall als legitim anzuerkennen ist.

Das Gesagte ist noch durch zwei Hinweise zu verdeutlichen: Einmal soll die Kirche eine gesellschaftskritische Instanz für Freiheit in den profanen Gesellschaften sein. Heute mehr als je. Sie kann dies nur sein, wenn sie die ihr aufgegebene Freiheitsgeschichte innerhalb der Kirche selbst immer mutig ergreift, wenn sie bei sich selbst immer wieder überzeugende produktive Vorbilder dafür schafft, wie Freiheit sein und wachsen kann innerhalb einer Gesellschaft, die immer mehr von der Gefahr einer technokratischen totalen Manipulation bedroht ist. Und umgekehrt: Wenn die profane Geschichte des Menschen, der sein Schicksal aktiv planend als seine eigene Tat übernimmt, in einem gegen früher unvergleichlichen Maße gerade im neuen Kampf gegen eine jetzt erst möglich gewordene totale Manipulation Freiheitsgeschichte erst geworden ist, wenn ferner die Kirche sie selber nur sein kann, wenn sie ihre geschichtliche Situation annimmt, dann ist schon von daher die profane Freiheitsgeschichte in ihrer heutigen Phase ein Moment an der Geschichte der Kirche selbst, das sie annehmen und bei sich selbst, natürlich in der *ihr* gemäßen Gestalt, verwirklichen muß.

Das alles mag wie selbstverständlich klingen. Aber wenn wir als traditionell geprägte Normalkatholiken und als Inhaber größerer oder kleinerer Vollmachten in der Kirche in ehrlicher Reflexion uns kritisch betrachten, dann werden wir gestehen müssen, daß wir in einem geschichtlich bedingten und fragwürdigen Instinkt im Grunde doch, wenigstens was die Kirche selbst angeht, auf der Seite der Ordnung, der Tradition, des Gesetzes, des Amtes, des Institutionellen stehen und das, was man im kirchlichen Raum Freiheit nennt, eher als das Bedrohliche empfinden, das sich mühsam legitimieren muß, dem man nur, soweit nötig, mühsam abgetrotzte Zugeständnisse macht. Aber ein solches bei uns fast konstitutionell gewordenes Empfinden ist doch eigentlich verkehrt, wenn man dem Wesen von Freiheit und von Manipulation ein wenig genauer theologisch nachfragt. Natürlich ist diese, vielleicht nur neuzeitliche, kirchliche Haltung entstanden als Anti-Affekt gegenüber der neuzeitlichen profanen Freiheitsgeschichte, die in ihrer Konkretheit auf der Oberfläche des Geschehens die Kirche und das Christentum – unschuldig, schuldig oder beides – bedrohte. Aber wenn man dies als geschichtliche Erklärung dieses kirchlichen Mißtrauens gegen die Freiheit in Kirche und Gesellschaft gelten läßt, dann ist immer noch zu fragen, ob denn dieser Anti-Affekt konservativer Art letztlich berechtigt war oder nicht eines der tragischen und auch schuldhaften Verhängnisse darstellt, die die Kirche betroffen haben, ohne daß eine solche Annahme vom Wesen der Kirche her ausgeschlossen werden könnte, so gerne man auch solche apriorischen Rechtfertigungen der faktischen Geschichte der Kirche immer wieder versucht. Wie dem auch sein mag: Die konkrete Aufgabe der Kirche oder, bescheidener und besser gesagt: eine heute wichtige Aufgabe der Kirche besteht darin, das für heute und morgen fällige Verhältnis in der Kirche zwischen einer seinsollenden Freiheit und einer immer in einem gewissen Maße unvermeidlichen Manipulation neu zu bestimmen, ja, wenn man will, sogar die Möglichkeit der immer neuen Bestimmung dieses Verhältnisses auf größere Freiheit hin zu institutionalisieren, Manipulation also, wenn man so sagen darf, zum Instrument der Freiheit selbst zu machen.

IV.

Es sei nun noch erlaubt, das Gesagte durch einige, ziemlich willkürlich ausgewählte Beispiele und Hinweise zu illustrieren.

Es ist dabei nicht beabsichtigt, die Frage: „Demokratie in der Kirche?" thematisch zu behandeln, obwohl das bisher Gesagte eine fast notwendige theologische Präambel für eine ernsthafte Behandlung des Themas „Demokratie in der Kirche" wäre. Es seien nur einige Bemerkungen gemacht, die das Bisherige etwas konkretisieren sollen.

Wenn das bisher Gesagte richtig verstanden wird, ist es auch einleuchtend, daß bei dem gegenseitigen Bedingungsverhältnis von Theorie und Praxis es das Verhältnis von Freiheit und Manipulation auch in der Dimension der Erkenntnis, also auch der kirchlichen Botschaft der Theologie und des kirchlichen Lehramtes, gibt. Vollzogene Theorie ist immer auch Praxis, und Praxis impliziert immer ein Stück akzeptierter Theorie. Darum aber gehört der Vollzug der kirchlichen Lehre immer *auch* jener Dimension an, in der es Freiheit und Manipulation gibt. Institution hat etwas mit Wahrheit zu tun; positiv, weil die Offenbarungswahrheit Gottes sich gerade in der Dimension der gesellschaftlich verfaßten Kirche ereignen muß und nur so real da ist. Negativ, weil die unvermeidliche oder schuldhafte Manipulation, die mit dem Vollzug des kirchlichen Lehramtes gegeben ist, durch Einseitigkeit, durch eventuelle Voreiligkeit, ja durch Irrtum das Verhältnis der Glieder der Kirche zur Wahrheit im freien Glaubensgehorsam beeinträchtigen kann. In der Dimension der Glaubenserkenntnis und der Theologie ist heute dem einzelnen Theologen und dem einzelnen Christen aus Glaubensverantwortlichkeit ausdrücklicher und deutlicher jener Freiheitsraum für die Entscheidung der Wahrheit gegenüber einzuräumen, den er je in bestimmter Weise gegenüber der Lehre des kirchlichen Lehramtes hat: einmal dem eigentlichen Dogma der Kirche gegenüber, insofern Glaube nicht erzwungen und Unglaube nicht durch gesellschaftlichen Druck von seiten der Kirche bestraft werden darf, und zweitens den authentischen, aber nicht definitorischen Lehräußerungen des kirchlichen Lehramtes gegenüber, insofern diese von sich selber her vorläufig sind und sich darum nur nach bestem Wissen und Gewissen des Lehramtes dem Wahrheitsgewissen des Einzelnen zur Wegweisung, aber auch zu verantwortlicher Prüfung anbieten können, wie es die deutschen Bischöfe in ihrem Lehrschreiben von 1968 ausdrücklich gesagt haben. Was damit gesagt wird, ist an sich traditionellste Lehre. Sie wurde aber oft und wird auch heute noch nicht selten von Rom her verschwiegen oder sehr in den Hintergrund des Glaubensbewußtseins und des Verhältnisses des Einzelnen zur Kirche und ihrem Lehramt gedrängt. Dieser Freiheitsraum als Dimension christlicher und kirchlicher Wahrheit muß aber heute ausdrücklich betont und eingeräumt werden. Wo die kirchenamtlich verkündigte Lehre diesen Freiheitsraum nicht ausdrücklich genug einräumt, kann dies nur zum Schaden ihrer Lehre selbst geschehen, weil Wahrheit, die *bloß* gesellschaftlich manipuliert gegeben ist, gar nicht in jener Dimension existiert, in der heilschaffender Glaube leben kann, und weil die Überziehung einer Lehrautorität dort, wo sie irren kann und sehr deutlich zu irren scheint, nur zur pauschalen Ablehnung solcher Autorität überhaupt verleitet.

Daß die Betonung des Freiheitsraumes, auch was die Lehre angeht, noch nicht einfach selbstverständlich ist, zeigt eine in „höheren kirchlichen Kreisen" umlaufende Bekämpfung der einschlägigen Äußerungen der deutschen Bischöfe, eine Bekämpfung, mit der ich mich jüngst auseinandergesetzt habe. Man kann ja auch im Blick auf diese oder jene Indizien daran zweifeln, daß jeder deutsche Bischof eindeutig und im konkreten Fall hinter dieser Einräumung eines Freiheitsraumes hinsichtlich der kirchlichen Lehre steht, wie sie an sich in dem genannten Lehrschreiben ausgesprochen wurde.

In dieses Kapitel gehört auch ein bei aller Einheit des kirchlichen Bekenntnisses berechtigter Pluralismus von Theologien. Es muß in diesem Zusammenhang auch betont werden, daß letztlich und auch in der konkreten Praxis der Kampf um eine Anerkennung der formalen kirchlichen Lehrautorität in deren gestufter Gegebenheit *nicht* geschehen kann durch eine bloße und monotone Behauptung (auch wenn sie in sich richtig ist), es gebe eine solche formale Lehrautorität, die von den katholischen Christen zu respektieren sei, sondern nur dadurch, daß die Autorität des Zeugnisses, also der Sache selbst, die Christi und des Christentums ist, so lebendig bezeugt wird, daß *sie* die formale Autorität des Lehramtes trägt, diese formale Lehrautorität also selbst als ein zwar wichtiges, aber letztlich doch sekundäres, ursprünglich getragenes und nicht tragendes Moment im Ganzen des christlichen Glaubens erscheint. Es sei der Eindruck eingestanden, daß in nicht wenigen Fällen, wie etwa in der Sexualmoral, in der Zölibatsfrage usw. in Rom und bei den Bischöfen eher ein letztlich hilflos und ineffizient anmutendes Insistieren auf ihrer formalen Autorität zu beobachten ist als ein lebendiges und überzeugtes Eintreten für die Sache selbst, so daß diese den Zeugen mehr beglaubigt als dieser die Sache.

Auf dem Gebiet der kirchlichen Praxis lassen sich unsere theoretischen Überlegungen in fast unzähligen Fällen anwenden. Natürlich ist (um dies nochmals zu betonen) eine solche Anwendung als Forderung einer konkreten Praxis nie eine einfache Deduktion aus diesen theoretischen Prinzipien über Freiheit und Manipulation in der Kirche. Es muß zu diesen Prinzipien immer eine Beurteilung der konkreten Verhältnisse in Welt und Kirche und eine letztlich unableitbare Entscheidung kreativer Freiheit hinzutreten, damit aus solchen Prinzipien eine Maxime konkreten Handelns werden kann. Aber dies vorausgesetzt und ausdrücklich eingeräumt, lassen sich im Blick auf die heutige kirchliche Situation doch einige Überlegungen für die Praxis der Kirche vortragen, die als legitime Anwendungen der aufgestellten Theorie über Freiheit und Manipulation gelten dürfen.

Wenn Freiheitsraum und Freiheitsausübung in der Kirche sein sollen und das zu Präsumierende sind, muß man vorsichtig sein in der Versuchung, alle freie Vielfalt in der Kirche, wo sie nicht ausdrücklich und amtlich institutionalisiert ist, schon als Willkür und als Unordnung zu taxieren. Der Vollzug der Freiheit ist eben nicht erst legitim, wenn er amtlich und institutionell positiv gebilligt ist, und umgekehrt ist nicht alle Uniformität schon wahre Ordnung, weil diese in der Kirche nur im Frieden selbstlos handelnder Freiheit bestehen kann. Kirchlichen Gesetzen gegenüber haben wir auch heute noch sehr weitgehend nicht jene verantwortliche und gelassene Freiheit, die in der kirchlichen Moraltheologie unter den Begriffen der Entschuldigtheit von positiven menschlichen Gesetzen, der Epikie und unter Umständen sogar durch die Nichtakzeptiertheit eines Gesetzes von oben durch das Kirchenvolk geschützt und gerechtfertigt wird.

Wenn man sich heute und ganz gewiß nicht immer und überall zu Unrecht über Respektlosigkeit gegenüber kirchlichen Gesetzen, über Willkürlichkeit und Selbstherrlichkeit, über Mangel an Respekt gegenüber der kirchlichen Autorität beklagt, dann darf man dabei nicht vergessen, daß solche Mißstände nicht daher kommen, daß es heute zu viel

Freiheit und zu wenig Manipulation in der Kirche gibt, sondern daß man noch nicht gelernt hat, die größere Freiheit verantwortungsvoll zu gebrauchen. Nur in dieser Richtung der Verantwortung der Freiheit durch die Einzelnen kann eine Besserung erhofft werden, nicht aber eigentlich durch eine Rückkehr zur früheren kirchlichen Situation, in der der Freiheitsraum im Verhältnis zur Manipulation, auch in einem für *damals* guten Sinne einer *legitimen* Manipulation, doch recht bescheiden war.

Unter diesen eben genannten Voraussetzungen seien nun einige Konsequenzen aus unseren Überlegungen für die kirchliche Praxis genannt. Da ist zunächst die Notwendigkeit einer gewissen Neuinterpretation der kirchlichen Autorität, des Hirtenamtes, der potestas iurisdictionis zu nennen. Selbstverständlich muß und wird es in der Kirche Autorität, Vollmacht, Amt und Amtsträger geben, die in einem gewissen Sinne dem Kirchenvolk gegenüberstehen, deren Autorität im konkreten Einzelfall (anders als die Autorität als solche und ganze) nicht einfach bloß die der in diesem Einzelfall vertretenen Sache ist, sondern einen formalen, von der Sache selbst verschiedenen Charakter hat. Dadurch aber ist die Notwendigkeit einer gewissen Neuinterpretation des Amtes und der Amtsträger nicht ausgeschlossen, und diese Neuinterpretation ist offenbar in der Kirche bei den Amtsträgern noch nicht ganz durchgedrungen. Diese Neuinterpretation liegt in der Richtung des Abbaus feudalistischer und paternalistischer Vorstellungsmodelle des Amtes und der Amtsträger, in der Richtung eines funktionalen Verständnisses des Amtes, welche Funktionalität dann durchaus den ganzen Sinn des kirchlichen Amtes decken kann, wenn diese Funktionalität nicht vom Verständnis *irgendeiner* Gesellschaft, sondern von dem der Kirche als solcher her gedacht wird.

Diese Notwendigkeit einer solchen Neuinterpretation sollte uns davor warnen, im Verständnis des Amtes mit einem Vaterbild zu operieren, das in der heutigen „vaterlosen" Gesellschaft auch in der Kirche nicht mehr wirklich normativ und effizient sein kann. Auch der kirchlichen Autorität gegenüber braucht ein Christ von heute keine „kindlichen" Gefühle, keinen Respekt eines „Sohnes" aufzubringen. Wir müßten heucheln, wenn wir sagen würden, wir fühlten uns als „geliebte Söhne und Töchter" des Papstes oder der Bischöfe. Eine solche Neuinterpretation bedeutet, einmal schlicht gesagt, daß grundsätzlich die Freiheit in possessione und auch die nicht von vornherein illegitime Manipulation zu beweisen ist, daß auch in der Kirche nicht die Mentalität herrschen darf, alles sei verboten, was nicht ausdrücklich von oben her erlaubt ist. Das aber bedeutet wiederum, daß es zum Beispiel durchaus grundsätzlich legitim ist, wenn sich von unten her aus Laien oder Priestern „Basisgruppen" bilden, deren Existenzrecht nicht erst durch die positive Genehmigung von oben her begründet wird. Das funktionale Verständnis des Amtes bringt es mit sich (im Unterschied zu einer feudalistischen oder paternalistischen Interpretation des Amtes), daß eine Begrenzung der Amtszeit eine Sache ist, die fast selbstverständlich sich aus dem Wesen des Amtes als dienender Funktion ergibt und bei keinem kirchlichen Amt bis zum Papst hinauf weseswidrig ist.

Nur nebenbei sei bemerkt, daß sich aus einer solchen funktionalen Neuinterpretation doch auch wie von selbst Verhaltensweisen konkreter Art bei den Amtsträgern ergeben würden, die offenbar auch heute noch nicht einfach selbstverständlich sind. Wenn zum Beispiel neun Theologen der von den Bischöfen selbst eingesetzten Glaubenskommission der deutschen Bischöfe, also eine sehr große Majorität dieser Konsultoren, neulich vor der Essener Bischofskonferenz ein Memorandum in der Zölibatsfrage überreichten und außer zweien kein einziger der mehr als fünfzig einzeln angeschriebenen Bischöfe auch nur mit einer Zeile reagierte, dann zeigt dies wohl in einem konkreten Beispiel, was gemeint ist, und zwar gerade dann, wenn ein solches Verhalten dem einzelnen Bischof als solchem *nicht* als eine moralische Sache angelastet wird. Die *institutionalisierte* Mentalität der Bischöfe ist, wenn man einmal so sagen darf, feudalistisch, unhöflich und paternalistisch, nicht der einzelne Bischof als konkrete Person, dem solche Praxis gar nicht auffällt, wodurch freilich die Sache nicht besser, sondern schlimmer wird.

Zur praktischen Neuinterpretation des Amtes würde auch gehören, daß, soweit wie nur möglich, kirchenamtliche Entscheidungen und Maßnahmen in der Öffentlichkeit durch ihre Sachgründe verständlich gemacht werden. Ist das Kirchenvolk auch nicht in einem *rechtlichen* Sinn und gewissermaßen als höhere Instanz Richter über die Entscheidungen der kirchlichen Amtsträger, so schließt diese Tatsache doch wiederum nicht aus, daß die Amtsträger in einem durchaus echten und legitimen Sinn der Kirche als ganzer, also auch dem Kirchenvolk, Rechenschaft schulden über das, was sie tun. Wird das kirchliche Amt funktional verstanden, dann kann es zwar immer noch durch die Entscheidung eines Amtsträgers (durch päpstliche Ernennung oder sakramentale Ordination) an einen anderen weitergegeben werden, aber es ist auch verständlich, besser verständlich als in einer paternalistischen Amtskonzeption, daß für eine menschenmögliche Geeignetheit für ein Amt bei der Bestellung eines Amtsträgers gesorgt werden muß. Zu dieser Geeignetheit gehört aber auch ein genügendes Maß von Vertrauen beim Kirchenvolk selbst, ein Vertrauen, das nicht einfach von oben her befohlen werden kann. Infolgedessen schadet es durchaus nichts, wenn heute neu über eine Mitwirkung des Kirchenvolkes bei solchen Bestellungen von Amtsträgern nachgedacht wird, zumal vielfach der bisher praktizierte Bestellungsmodus auch in anderen Hinsichten keine genügende Garantie für die Geeignetheit des Bestellten zu bieten scheint.

Eine weitere praktische Konsequenz sei zum Schluß noch eben angedeutet. Wir haben schon kurz davon gesprochen, daß man die Veränderung des Verhältnisses zwischen Freiheit und Manipulation in der Kirche, die eine dauernde Aufgabe ist, selber institutionalisieren sollte, soweit so etwas möglich ist. Das heißt aber praktisch: Das Amt in der Kirche sollte selbst in der Kirche Institutionalismen schaffen, die zu ihm und seiner Dynamik gegenläufig sind und in einem gewissen Sinn so Kontrollinstanzen für das Amt darstellen. Man braucht kein Anhänger der Lehre von der Gewaltentrennung nach Montesquieu oder der Anwendung dieser Lehre auf die Kirche zu sein, um so etwas für wünschenswert zu halten. So wie es im Staat einen Verfassungsgerichtshof gibt, der zwar nicht schlechthin unabhängig von der obersten Regierungsgewalt, aber doch selbständig gegenüber bestimmten Maßnahmen der Regierung ist, so wie ein Gericht selber dem Angeklagten, den es verurteilen will, einen Pflichtverteidiger bestellt, der sich der geplanten Verurteilung widersetzt, so wie es sogar im Heiligen Offizium einen Mann gibt, der, unabhängig von den drei ihm Vorgesetzten, nur dem Papst selbst Rechenschaft schuldet und die Rechtlichkeit der Maßnahmen des Heiligen Offiziums kontrolliert, so ähnlich sollte es auch allgemein in der Kirche Institutionen geben, die eine gewisse kontrollierende Gegeninstanz neben dem Amt im üblichen Sinne sind.

Erst wenn wir einmal eine nationale Synode haben, die unter Umständen (iure humano) verbindliche Entscheidungen trifft, die für einen Bischof überraschend sein können, erst wenn im gegebenen Fall auch ein Bischof sich einem unparteiischen Schiedsgericht unterstellt, erst wenn Priesterräte, Seelsorgsräte usw. die genügende Selbständigkeit und Effizienz den Ordinariaten gegenüber haben, wenn mit anderen Worten die dauernd mögliche und notwendige Neubestimmung des Verhältnisses zwischen Freiheit und Manipulation selbst auch institutionell und nicht nur in der idealen Theorie oder im einfachen Zwang der Geschichte oder in der bloßen Kontestation von unten zur Kirche gehört, wird das Verhältnis zwischen Manipulation und Freiheit in der Kirche sowohl unaufgeregt als gleichzeitig auch in einer dauernden Bewegung sein, die die Erstarrung des bloß Traditionellen immer wieder auflöst. Natürlich ist ein solches unaufgeregtes und gleichzeitig in Bewegung seiendes Verhältnis zwischen Freiheit und Manipulation ein Verhältnis, das nie rein verwirklicht werden kann. Die Veränderung kann in etwa institutionalisiert werden, aber eben nur asymptotisch, da diese Institutionalisierung selbst noch einmal in der offenen und nie adäquat reflektierbaren Geschichte steht. Aber das skeptische Wissen darum, daß die Kirche in dieser Zeit niemals die vollendete sein kann, ist keine Rechtfertigung dafür, alles zu lassen, wie es bisher war, die Vergangenheit über die Zukunft zu stellen. Wenn die Kirche in der Geschichte steht, wenn diese Geschichte heute nicht bloß erlitten, sondern getan werden soll, wenn diese Geschichte immer die Bewegung zwischen Manipulation und Freiheit ist, dann hat sie gerade so einen *Richtungssinn*, den wir tätig ergreifen müssen, und dieser Richtungssinn geht von der Manipulation zu der Freiheit, deren letzte Autorität die Liebe ist.

Rückblick auf das Konzil

Am 25. 1. 1959 kündete Johannes XXIII. ein Konzil der Römisch-katholischen Kirche an. Am 11. Oktober 1962 begann die erste öffentliche Sitzung des Konzils im Vatikan. Am 8. 12. 1965 wurde unter Paul VI. in der 10. öffentlichen Sitzung nach vier Sitzungsperioden das Konzil feierlich beschlossen. Es ist somit ein Jahrzehnt her seit dem Ende des Zweiten Vatikanischen Konzils. Ein Thema: Rückblick auf das Konzil ist somit naheliegend. Aber, was mit einem sol-Abstand von zehn Jahren, der ein geschichtliches Ereignis besser zu verstehen erlaubt als der Zeitpunkt des Ereignisses selbst, Eigentümlichkeit und Wirksamkeit dieses Konzils bedacht werden? Soll mehr auf diese zehn Jahre *nach* dem Konzil reflektiert werden, um zu erkennen, ob diese Jahre dem Geist und der Absicht dieses Konzils gerecht geworden sind? Soll die zehnjährige Wirkungsgeschichte der einzelnen Dekrete dieses Konzils nachgezeichnet werden? Soll im Rückblick auf das Konzil der geistesgeschichtliche und ekklesiologische Ort dieses Konzils zu bestimmen versucht werden, wenn dieser Ort innerhalb der ganzen und vor allem der neuzeitlichen Geschichte des Christentums und der Kirche festgelegt werden soll? Solche und viele andere Fragen über den genauen Sinn unseres Themas könnten im voraus gestellt werden; man könnte unter diesen Fragen vielleicht eine Auswahl treffen, weil sie doch nicht alle zusammen in einem kurzen Referat behandelt werden können. Es soll ehrlich und unbefangen zu Beginn dieses Referates eingestanden werden, daß in einer fragmentarischen und aphoristischen Weise zu all diesen Fragen etwas zu sagen versucht wird, ohne diese Fragen genau zu unterscheiden und jede auch nur einigermaßen erschöpfend zu beantworten. Diese in etwa essayistische und aphoristische Behandlungsweise sei von vornherein eingestanden und dafür um Nachsicht und Verständnis gebeten, weil ein *kurzes* Referat in einem so kurzen Abstand vom Konzil wohl nicht mehr bieten kann. Dies zumal, weil ein geschichtliches Ereignis wohl erst dann ganz richtig gewürdigt werden kann, wenn die Zukunft danach schon Gegenwart geworden ist, wenn man schon weiß, was danach gekommen ist. Und überdies: Wenn hier die geschichtliche Eigenart des Zweiten Vatikanischen Konzils zu verstehen versucht wird, wenn es in das größere Ganze der (vor allem neuzeitlichen) Kirchengeschichte eingeordnet werden soll, dann ist von vornherein klar, daß ein solcher Versuch, bezogen auf die Geschichte der heute noch Lebenden, schwierig, bedenklich, hypothetisch ist, daß spätere Zeiten ein solches geschichtliches Ereignis unter ganz anderen Aspekten und in ganz anderen Verstehenshorizonten sehen werden, daß die Geschichte selbst viel komplexer und vielschichtiger ist als das, was eine historische Reflexion davon ausdrücklich macht.

Meine Grundthese über das Zweite Vatikanische Konzil geht dahin, daß es das gewissermaßen amtliche Ende der Pianischen Epoche der neuzeitlichen Kirchengeschichte ist auf eine Zukunft hin, die weithin dunkel ist, die aber auf jeden Fall sehr tiefgehend anders ist als die Vergangenheit, so daß das Konzil von vornherein für die Kirche in ihrem Gang in die Zukunft einerseits den Mut zu diesem Wagnis der Zukunft anbieten und anderseits dafür doch nur relativ abstrakte Normen proklamieren konnte, die uns die Hoffnung ins Ungewisse hinein, das Wagnis und das Experiment in Hoffnung-allein nicht ersparen. Diese Grundthese schließt auch die Überzeugung ein, daß das Jahrzehnt nach dem Konzil trotz vieler beobachtbarer Schwankungen und auch rückläufiger Einzelströmungen in Rom und in der Kirche diese Absicht und Bedeutung des Konzils im Ganzen nicht desavouiert hat und nicht desavouieren konnte und daß (selbst wenn man diese gegenläufigen Tendenzen höher einschätzen wollte) sowohl vom Wesen des Konzils her als auch durch den Zwang kommender Situationen der Kirche noch unübersehbar viel lebendige Potentialität des Konzils vorhanden ist und noch entbunden werden wird.

Wenn ich diese Grundthese aufstelle und im Folgenden etwas zu erklären versuche, dann weiß ich selbst nicht recht, ob sie nicht zu selbstverständlich ist, ob sie nicht zu allgemein und darum zu billig ist, ob sie nicht von einer ganz anderen Grundthese über die geschichtliche und ekklesiologische Eigenart dieses Konzils verdrängt werden müßte. Es ist auch hier gleichgültig, wie weit in ihrem reflexen Bewußtsein Johannes XXIII. und das Konzil selbst dieses Konzil in *der* Absicht gewollt haben, die unsere Grundthese als die eigentliche Eigenart dieses Konzils erklärt. Kreatürliche Freiheit bringt immer unweigerlich Wirklichkeiten hervor, die anders und komplexer sind, als sie im reflektierenden Bewußtsein der Täter beabsichtigt waren.

Was ist mit der Pianischen Epoche der Kirche gemeint, von der wir sagen, sie sei gewissermaßen amtlich durch dieses Konzil beendet worden? Wir meinen die Periode, die profangeschichtlich mit der Aufklärung und der Französischen Revolution beginnt und die kirchengeschichtlich durch die Pius-Päpste vom VII. bis zum XII. Pius charakterisiert ist, die Periode, die mit dem Zweiten Weltkrieg, dem Ende der europäischen Vorherrschaft in der Welt, dem Entstehen einer planetarischen Einheit der Weltgeschichte, dem Antagonismus sowohl zwischen dem liberalen Westen und dem kommunistischen Osten, wie auch dem Norden der industrialisierten Nationen und dem Süden der dritten Welt profangeschichtlich zu Ende gegangen ist oder zu Ende geht. Diese Periode kann *kirchen*geschichtlich gesehen als Pianische Epoche der Kirche bezeichnet werden, weil die

Pius-Päpste der Kirche in dieser Zeit ihre Eigenart aufgeprägt haben. Wie kann kirchengeschichtlich gesehen diese Periode, die profangeschichtlich mit der Französischen Revolution beginnt und in der Mitte des 20. Jahrhunderts zu Ende geht, näher gekennzeichnet werden? Soll man von einem Zeitalter der kirchlichen Restauration nach der Französischen Revolution sprechen, welche Epoche der Restauration kirchlich nicht nur die erste Hälfte des 19. Jahrhunderts, sondern die Kirchengeschichte bis Pius XII. kennzeichnen würde bei und trotz allem, was darin an Zukunftskräftigem und Nichtrestaurativem gegeben gewesen war? Soll man von einem Pianischen Monolithismus sprechen, der von uns Älteren heute leicht einfach mit dem bleibenden Wesen der Kirche identifiziert wurde und von nicht wenigen Konservativen nostalgisch zurückersehnt wird, obwohl dieser Monolithismus gar nicht immer und zu jeder Zeit das Kennzeichen der Kirche war? Soll man sagen, die Pianische Epoche sei in einem viel ausgeprägteren Maße als davor die Epoche des Klerus und der Hierarchie gewesen, weil gegen allen Anschein in den früheren Perioden der Antike mit ihrem Caesaropapismus, der mittelalterlichen Reichskirche, der neuzeitlichen Staatskirchen, des Bundes von Thron und Altar durch eineinhalb Jahrtausende, die Laien viel mehr in der Kirche selbst zu sagen hatten als in dieser Pianischen Epoche? Wie immer man diese Epoche mit einem Schlagwort (und darum ungenau und vereinfachend) charakterisieren will, so scheint doch Folgendes deutlich zu sein: Von der Konstantinischen Wende bis zur Französischen Revolution lebte die Kirche (wenn auch durch den Islam immer wieder bedroht) in einem Milieu, das weitgehendst selber homogen christlich war, in einem christlichen Abendland, als Staatskirche, als die bestimmende Macht der Kulturwelt, in der sie lebte. Profane Gesellschaft und Kirche durchdrangen sich gegenseitig bis zum Verwechseln, was sich auch noch nicht entscheidend durch die Reformation des 16. Jahrhunderts änderte. Seit der Französischen Revolution und der Aufklärung wird das in steigendem Maße anders: Die Kirche und die profane Gesellschaft treten auseinander; die Situation, in der die Kirche lebt, hört immer mehr auf, selber christlich zu sein, wird säkularisierte Gesellschaft und neutraler oder sogar kirchenfeindlicher Staat, so sehr sich in dieser säkularisierten Welt noch vieles als Erbe des Christentums halten mag und so sehr auch noch einmal die letzten Antriebe und Motivationen in dieser säkularisierten Welt anonym christlicher Herkunft sein mögen. Das Eigentümliche der Reaktion der Kirche in dieser Situation während der Pianischen Epoche scheint mir nun darin zu bestehen, daß die Kirche versucht, ihr eigenes Wesen und die Treue zu ihrer unaufgebbaren Sendung *dadurch* zu bewahren, daß sie sich gegen diese säkularisierte Welt einigelt und nach Kräften autark nicht bloß ihr eigenes Wesen und ihre eigene Sendung, sondern auch ihren mittelalterlichen und barocken Lebensstil beizubehalten und weiterzuführen sucht. Bei diesem Bemühen stützt sie sich auf die bäuerlichen und mittelständischen Schichten, die ihr in größerem oder kleinerem Maß je nach den einzelnen Ländern geblieben sind, mobilisiert diese Schichten unter einer äußeren und nach innen möglichst neutralisierten Anpassung an den Stil der neuen Zeit durch christliche Parteien; sie sucht den eigenen Lebensraum freizuhalten und abzusichern durch eine Konkordatspolitik; sie zentralisiert sich selbst auf den Papst hin als dem Hort ihrer Eigenständigkeit, organisiert ihr Leben durch ein immer ausgebauteres und einheitlicheres Kirchenrecht; sie sucht auch in der Kultur, der Philosophie immer autarker zu leben durch die Restauration der Scholastik und des Thomismus; sie drängt „integralistisch" moderne Strömungen auf kulturellem und politischem Gebiet aus der Kirche heraus oder an ihren Rand, ist mißtrauisch auch gegen Modernismen, die an sich und grundsätzlich nichts mit einem häretischen Modernismus zu tun haben; sie sucht die kulturellen Bedürfnisse und Tendenzen ihrer Mitglieder durch eine christliche Kunst und katholische

Literatur möglichst weitgehend innerhalb ihres eigenen Bereiches abzudecken; sie ist auf dem Gebiet der Moral und der Gesellschaft und Wirtschaft im Ganzen doch konservativ, nicht die Bannerträgerin an der Spitze des Marsches in eine Zukunft, sondern die Verteidigerin des Überlieferten für das durchschnittliche Bewußtsein während dieser Epoche, möglichst monolithisch nach innen und vor allem defensiv nach außen, so daß in dieser Epoche ungefähr jede neue Bewegung in allen Gebieten des menschlichen Lebens zunächst einmal auf eine mißtrauische Abwehr der Kirche stößt.

So primitiv das Gesagte ist, es muß hier genügen, um diese Pianische Epoche zu charakterisieren. Es braucht nicht gesagt zu werden, daß die Kirche auch in dieser Zeit unzähligen Menschen gegenüber ihre eigentlichste Sendung realisiert hat, ihnen jene letzte Freiheit auf Gott hin vermittelt hat, die wir Gnade, Rechtfertigung in Glaube, Hoffnung und Liebe nennen. Es braucht nicht gesagt zu werden, daß die Kirche auch in dieser Zeit immer mehr war und mehr lebte, als in dem reflexen Bewußtsein der Amtskirche ausdrücklich erfaßt und offiziell anerkannt wurde. Es braucht nicht gesagt zu werden, daß, was in der profanen Gesellschaft lebte und wurde, in dieser Zeit auch in der Kirche nicht einfach schlechthin fehlte, daß auch in ihr Menschen lebten, die zu den großen Gestalten der neuzeitlichen Geschichte gehörten, auch wenn man nicht gerade sagen kann, daß die amtliche Kirche und das durchschnittliche Bewußtsein der großen Masse des Kirchenvolkes sich sehr mutig und deutlich zu ihnen bekannten.

Wie immer man somit diese Pianische Epoche genauer und gerecht beurteilen mag, wie immer man sie vielleicht auch, aufs Ganze gesehen, als eine *unvermeidliche* Phase der Geschichte des Christentums und der Kirche rechtfertigen oder entschuldigen mag, diese Epoche scheint mir jedenfalls zu Ende zu sein, und dieses Ende scheint mir in etwa amtlich markiert zu sein durch das Zweite Vatikanische Konzil, auch wenn dieses kaum wirklich ausdrücklich darauf reflektierte, daß es eine so einschneidende Zäsur setzte, sondern meinte, seine Aufgabe in einem *solchen* aggiornamento zu haben, wie es eigentlich immer wieder selbstverständlich die Aufgabe einer geschichtlichen Größe ist, die bleiben will. Diese Setzung und dieses Amtlichwerden einer solchen epochalen Zäsur hat natürlich ein Werden und vorausgehende Ursachen, die wir hier nicht eigentlich nennen können. Es ist auch selbstverständlich, daß die Behauptung einer solchen Zäsur nicht meint, daß schon jetzt alles und jedes in der Kirche deutlich unter dem Vorzeichen der neuen Epoche stehe oder daß es nicht Kräfte und Vorkommnisse in der Kirche gäbe, die diese Zäsursetzung ganz oder teilweise nach rückwärts wieder ungeschehen machen wollen. Noch weniger ist natürlich gemeint, daß eine solche Zäsur das bleibende Wesen und die bleibende Aufgabe der Kirche aufhebe.

Wir haben hier nun deutlich zu machen, warum und wie das Konzil eine solche Zäsur, das Ende der Pianischen Epoche bedeute.

Zunächst einmal ist das bloße Faktum des Konzils, obwohl ein solcher Vorgang auch vom bisherigen Kirchenrecht als möglich und legitim vorgesehen ist, keine Selbstverständlichkeit, wie es zunächst vielleicht scheinen könnte. Zwar hat vor dem Konzil niemand theoretisch bestritten, daß auch heute Konzilien noch möglich sind. Aber man hatte doch in römischen theologischen und kurialen Kreisen vor dem Konzil den Eindruck, als ob die Kirche nach dem Ersten Vatikanum keinen Grund mehr habe, wirklich von der Möglichkeit eines Konzils Gebrauch zu machen; es gehe ja einfacher auch durch den Papst allein. Ein Sebastian Tromp war der Meinung, das Konzil könne, wenn es schon einberufen werde, praktisch nichts tun, als die Schemata zu bestätigen, die vor dem Konzil durch päpstliche Kommissionen ausgearbeitet worden waren. Die Tatsache des Konzils zeigt somit, daß bei aller bleibenden Gültigkeit des Dogmas des Ersten Vatikanums die kurial zentralistische Mentalität, die die Aura dieses Dogmas bildete und die Pianische Epoche charakterisierte, in dem Konzil, so wie es tatsächlich handelte, zu Ende gegangen war und das kollegiale und synodale Prinzip in der Struktur der Kirche nicht nur nicht theoretisch abgeschafft ist, sondern auch praktisch wieder deutlicher in Erscheinung tritt. Daran ändert natürlich auch die Tatsache nichts, daß es in Rom, aus welchen Motiven auch immer, noch starke zentralistische Tendenzen gibt. Durch das Konzil als solches zeigt sich, daß der Papst, unbeschadet seiner Primatialrechte, nicht einfach mit der Kirche oder mit ihrer Leitung identifiziert werden darf, daß in der Kirche nicht einfach alles an Leben und Impulsen vom Papst ausgeht, daß die Bischöfe nicht einfach die Beamten des Papstes und die Regionalkirchen nicht einfach Verwaltungsbezirke eines von einem absoluten Monarchen autoritativ regierten Staates sind. Das war zwar nie die amtliche Lehre, aber doch weithin die Mentalität der Pianischen Epoche. Und diese ist eigentlich schon durch die Tatsache des Konzils, so wie es tatsächlich geschah, zu Ende gegangen. Gegenläufige Tendenzen können auf längere Sicht daran nichts ändern. Die Bischofssynoden nach dem Konzil sind vielleicht noch nicht das gewesen, was man von ihnen als eine Art realer Fortsetzung dieses Konzils erwarten konnte, aber, da sie ja fortgesetzt werden, zeigen sie doch, daß das Konzil weiter wirken wird.

Das Ende der Pianischen Epoche wird auch deutlich an der Theologie des Konzils. Zwar haben auch das Konzil von Trient und das Erste Vatikanum sich einerseits bemüht, nicht einfach in der scholastischen Schulsprache zu reden, und hat anderseits das Zweite Vatikanum in sehr behutsamer und die Tradition respektierender Weise gesprochen, ohne einem wilden theologischen Progressismus zu huldigen. Man wird auch nicht sagen können, daß in den Dekreten dieses Konzils die moderne historisch-kritische Exegese schon in größerem Umfang zu Wirkung kam, sondern der reiche Schriftgebrauch doch noch sehr im Stil der Anführung von dicta probantia für eine schon anderswoher feststehende Lehre geschah. Aber all das ändert doch nichts daran, daß in diesem Konzil ein tiefgehender Stilwandel in der Theologie manifest wurde. Das würde am deutlichsten werden, wenn es möglich wäre (was hier nicht der Fall ist), die faktisch beschlossenen Dekrete mit den Schemata zu vergleichen, die die römischen Theologen für das Konzil vorbereitet hatten. Da sollten nicht nur z. B. der Limbus parvulorum oder der Monogenismus mehr oder weniger definiert werden, da sollte nicht nur der Thomismus neu und eindringlich zur amtlichen Kirchenlehre gemacht werden. Diese vorkonziliaren Schemata waren in Inhalt, Stil und Mentalität neuscholastische Schultheologie, wie sie sich in der Pianischen Epoche ausgebildet hatte. Sie kam nicht zum Zug. Keines dieser vorkonziliaren Schemata, die sehr gründlich vorbereitet waren, hat überlebt. Um die Zäsur in der Theologie zwischen der Pianischen Epoche und heute zu sehen, müßte man auf sachliche Einzelheiten der konziliaren Lehre eingehen, was hier auch nur mit ein paar willkürlichen Andeutungen geschehen kann, zumal es ja hier nicht auf die Einzellehrstücke als solche einzelne, sondern auf ihre exemplarische Bedeutung für das Ganze der Theologie ankommt. Thomas von Aquins Bedeutung für die Theologie wird im ganzen Konzil gerade noch zweimal erwähnt und mehr im Vorübergehen. Während es unter Pius XII. noch verboten war, die anderen christlichen Religionsgemeinschaften des Westens Kirchen zu nennen, gesteht das Konzil mindestens vielen von ihnen diesen Titel zu. Die Lehre von der Sakramentalität des Bischofsamtes und der Versuch, den Diakonat als eigenständiges Amt wieder zu beleben, seien eben nur erwähnt. Auf die Lehre vom Gesamtepiskopat (mit und unter dem Papst) als dem höchsten Leitungsgremium der Kirche mit denselben Praerogativen, wie sie der Papst hat, muß später noch einmal zurückgegriffen werden. Die seit dem Tridentinum schon fast klassisch gewordene Lehre, daß die Tradition eine material eigenständige Quelle der Offenbarungsüberlieferung sei, wird bewußt umgangen. Das Konzil entwickelt zum ersten Mal in der Geschichte der Kirche eine Lehre von der Kirche als Volk Gottes, stellt sie vor die Lehre von den hierarchischen Ämtern, bietet eine Theologie der Laien mit ihrer eigenständigen und aktiven Rolle auch im innerkirchlichen Leben, entwickelt eine Lehre in „Gaudium et spes" über das Verhältnis der Kirche zur profanen Welt, die sehr erheblich über das hinausgeht, was darüber von den Päpsten des 19. und der ersten Hälfte des 20. Jahrhunderts gesagt wurde. Das Konzil entwickelt eine Missiologie, die einen bedeutenden Fortschritt über die bisherige bedeutet. Es anerkennt eine positive Bedeutung der nichtchristlichen Religionen, was bisher gewiß nie der Fall gewesen ist; es bietet eine Lehre von der Religionsfreiheit, die bisher gewiß nicht üblich gewesen ist; es hat einen Heilsoptimismus, der auch den schuldlosen, aber so eben möglichen, Atheisten nicht ausnimmt, und überwindet so einen augustinischen Heilspessimismus, der in der katholischen Theologie, wenn auch langsam und mühsam im Rückgang, bis in die neueste Zeit weiterwirkte. Es kommt hier in unserem Zusammenhang nicht auf den materialen Inhalt der einzelnen angedeuteten Lehren an, auch nicht darauf, daß solche Lehren des Konzils natürlich in der vorausgehenden Theologie vorbereitet waren, auch nicht auf eine quantitative Einschätzung der Bedeutung dieser einzelnen Lehren. Das Wichtige für uns hier ist das Symptomatische und Exemplarische an dieser Theologie des Konzils. Es hat nicht aus der Mentalität der Pianischen Epoche, der Mentalität der neuscholastischen Theologie, der Mentalität einer defensiven Abgrenzung gegenüber einem von vornherein verdächtigen „Geist der Zeit" und der modernen Wissenschaft heraus gesprochen, sondern aus dem Geist eines offenen Dialogs mit der heutigen Zeit, in dem die Kirche auch selber lernen kann und Fragen offen eingesteht, die sie auch selber nicht beantworten kann.

Es war auf dem Konzil bei allem Willen zur Bewahrung und lebendigen Aussage des einen und alten Glaubens der Kirche ein legitimer theologischer Pluralismus schon gegeben und unbefangen angenommen. Daß mit dem Konzil eine Zäsur in der Theologie gegeben ist, zeigt schließlich noch eine doppelte Beobachtung: Auf dem Konzil waren maßgeblich mitarbeitend Theologen am Werk, die vorher noch unter Pius XII. im Zusammenhang mit den Konflikten um „Humani generis" verdächtigt oder gemaßregelt worden waren. Die Theologie *nach* dem Konzil zeigt durch die Unbefangenheit, mit der heute unbeanstandet die kritisch-historische Exegese gehandhabt wird, mit der Energie, mit der fundamentale Fragen der Theologie in der Gotteslehre, der Trinitätslehre, der Christologie, der Sakramentenlehre, der Ekklesiologie neu und grundlegend behandelt werden, mit dem Pluralismus in der Theologie nur zu deutlich, daß sich in der Theologie seit dem Konzil, verglichen mit der Pianischen Epoche, vieles sehr einschneidend geändert hat. Das wird auch nicht dadurch widerlegt, sondern eher bestätigt, daß neben und mit einem legitimen Pluralismus in der Theologie sich auch Theologien in der Kirche zu Wort melden, die die verpflichtende Orthodoxie verletzen und so die auch in Rom noch ungelöste Frage hervorrufen, wie konkret das Lehramt der Kirche *heute* im Unterschied zu früher auf solche Heterodoxien reagieren müsse. Die These von einer Zäsur zwischen der Theologie der Pianischen Epoche und der nachkonziliaren Theologie wird auch nicht dadurch widerlegt, daß eine gewisse Müdigkeit und Resignation gegenüber der hohen Theologie in den letzten Jahren zu beobachten ist und das Interesse stark zu bloß pastoraltheologischen und religionspädagogischen Themen abgewandert ist. Es soll auch hier die Frage nicht untersucht werden, ob die Theologie des Konzils selbst oder mehr die Mentalität und das Klima, die durch das Konzil bewirkt wurden, die Ursache dieser Zäsur in der Theologiegeschichte gewesen sind. Jedenfalls aber ist mit dem Konzil eine solche

Zäsur gegeben: Eine einheitliche, im Thema und Methode festgelegte, mit dem Instrumentar der neuscholastischen Philosophie arbeitende Theologie als *die* Theologie *der* Kirche ist zu Ende; die systematische Theologie wird viel mehr als bisher die Resultate der historisch-kritischen Exegese und einer unbefangenen Dogmengeschichte in sich selbst aufnehmen, sie wird den heutigen Pluralismus der Philosophien widerspiegeln, sie muß viel radikaler als im 19. Jahrhundert sich den letzten entscheidenden Fragen über Gott und Jesus Christus stellen in einer Konfrontation mit dem modernen Atheismus und den Ideologien, die diesen Atheismus hervorgerufen haben, sie wird das alles tun müssen in einem unbefangenen, zum Wandel und Lernen entschlossenen Dialog, sie wird langsamer in der wissenschaftlichen Reflexion Resultate erzielen, als sie es bisher zu erringen meinte, und sie wird mutig und deutlich auch darauf zu reflektieren haben, warum und wie eine echte Glaubensentscheidung inmitten der Ungewißheiten der wissenschaftlichen und theologischen Reflexion möglich ist.

Die Zäsur zwischen der Pianischen Epoche und der heutigen Zeit zeigt sich auch auf dem Gebiet des kirchlichen Lebens und vor allem der Liturgie. Für die Liturgie scheint mir die Legitimierung der modernen Volkssprachen als Kultsprachen, und zwar auch in der innersten Mitte der Liturgie, von entscheidender Bedeutung zu sein. Zwar hat das Konzil und die nachkonziliare liturgische Gesetzgebung und amtlich anerkannte Praxis eigentlich nur an eine bloße Übersetzung der einen und selben von Rom gestalteten liturgischen Texte gedacht, mindestens was die zentralen Geschehnisse der Liturgie angeht. Aber vermutlicherweise ist damit doch auf längere Sicht ein tiefergehender Pluralismus in der Liturgie der Kirche inauguriert. Form und Inhalt haben nun einmal ein gegenseitiges Bedingungsverhältnis; Übersetzungen allein sind immer nur eine Übergangsphase in der Geschichte der so übersetzten Sache; Übersetzungen überwinden nicht so sehr, sondern machen die Fremdheit und geschichtliche Distanziertheit der in der Liturgie geschehenden Wirklichkeit zunächst eher manifest. Die größere Selbständigkeit der Regionalkirchen der einen Weltkirche wird sich gewiß auf längere Sicht auch in ihren Liturgien mehr und deutlicher auswirken, auch wenn vielleicht das für unseren engeren Kulturkreis Westeuropas weniger gelten mag. Für die ganze Kirche aber bedeutet die Anerkennung der heutigen Sprachen als Kultsprache, wogegen sich nicht nur Trient, sondern auch noch die Pianische Epoche entschieden gewehrt hatte, der Beginn einer neuen Phase der Liturgiegeschichte in eine noch unbekannte Zukunft hinein.

Dieselbe epochale Zäsur ist auch in anderen Dimensionen der Kirche zu beobachten. Der Codex Iuris Canonici muß neu verfaßt werden. Es mag sein, daß der neue CIC noch konservativ bewahrend ausfällt und noch möglichst viel vom Alten zu bewahren sucht. Das ist möglich und hat seine verständlichen Gründe, die man gelassen akzeptieren kann. Er wird dann aber vermutlich nicht sehr alt werden. Denn aus kulturellen, weltgeschichtlichen und mit der Dynamik der Kirche selbst gegebenen Gründen wird auf längere Sicht die Eigenständigkeit der großen Regionalkirchen wachsen. Die kulturelle Hegemonie des Westens, der das Milieu der römisch-katholischen Kirche bisher war, hat aufgehört oder geht zu Ende. Dann aber werden sich die Kirchen Lateinamerikas, Afrikas und Asiens nicht mehr als Filialen und Exporte der abendländischen Kirche verstehen und leben wollen. Trotz des Entstehens einer in vieler Hinsicht gleichartigen Weltzivilisation rationaler und technischer Mentalität werden die verschiedenen Kulturen in der Welt ihre Selbständigkeit und Eigenart bewahren und neu finden und in den Mitteln dieser Weltzivilisation gerade die Waffen finden, um sich gegen die alte (angemaßte) Kulturhegemonie des Westens zu Wehr zu setzen. Das muß sich aber auch in den Kirchen dieser anderen Kulturen auswirken. Sie werden eine größere Eigenart und Selbständigkeit erlangen. Dafür sind eigentlich auch theologisch im Konzil die Voraussetzungen geschaffen, auch wenn diese da noch sehr abstrakt und harmlos formuliert sind. Im Konzil ist grundsätzlich eine Eigenständigkeit mit je verschiedener Eigenart der großen Regionalkirchen anerkannt und positiv gewertet. Durch die nationalen und kontinentalen Bischofskonferenzen ist ihnen ein rechtliches Instrumentar zuerkannt, ihre Eigenart zu wahren und zu entwickeln. Durch die römische Bischofssynode ist ihnen die Möglichkeit gegeben, sich aktiv im Ganzen der Kirche zu Wort zu melden und ihre Eigenart für den spirituellen Reichtum der ganzen Kirche einzubringen. Es ist durch das Konzil die alte Wahrheit neu deutlich geworden, daß die Bischöfe nicht bloße Beamte des Papstes als des Hauptes einer zentralistisch und homogen verwalteten Kirche sind, daß der Gesamtepiskopat selber höchstes Führungsgremium der Gesamtkirche ist. All das, das Weltgeschichtliche und Kulturgeschichtliche der neuesten Zeit, das mit der Selbständigwerdung der dritten Welt deutlich wurde, und das nur angedeutete Ekklesiologische hat sich natürlich im Konzil und in den Jahren darauf noch nicht in der Kirche voll ausgewirkt. Man kann so etwas auch billigerweise so schnell nicht erwarten. Aber wenn heute der höchste Primatialsitz des Westens, der – jedenfalls vorläufig – der Sitz des Papstes im theologischen Sinn ist, gar nicht mehr zahlenmäßig und nach der Gewichtigkeit der Kirchen in der Mitte der Kirche liegt, sondern eher an ihrem Rand, wie Bühlmann sehr eindrucksvoll gezeigt hat, dann kann das nicht ohne tiefgreifende Folgen für die künftige Geschichte der Kirche sein. Sie wird Weltkirche werden, sie wird in ihrem Leben pluraler werden, Rom wird weniger als bisher in die Einzelheiten der Kirchen hineinregieren, ein späterer CIC wird viel mehr als bisher eine Rahmenordnung für die Kirchen sein und so (nebenbei bemerkt) auch viel ökumenischen Platz freilassen für christliche Kirchen, die bisher von

Rom getrennt waren und in Friede und Einheit mit Petrus leben wollen.

Wir haben bisher nur einige Gesichtspunkte genannt, unter denen die Zäsur zwischen heute und der Pianischen Epoche betrachtet werden kann. An sich wären noch viele zu nennen. So z. B. die Erklärung über die Religionsfreiheit und die Anerkennung weltanschaulich pluralistischer Welten und Staaten, die Erklärung über das Verhältnis der Kirche zu den nicht-christlichen Religionen und deren positive Würdigung, die pastorale Konstitution über die Kirche in der Welt von heute mit all dem, was „Gaudium et spes" an Neuem gegenüber der Mentalität der Pianischen Epoche markiert. Und darüber hinaus vieles in anderen Dekreten des Konzils, in denen die Würde der Person, die Freiheit des Gewissens, das Widerstandsrecht, die Kriegsdienstverweigerung usw. in deren Dialektik zu den Institutionen in Kirche und Staat doch eine unbefangenere Würdigung und Anerkennung erfahren, als es bis zum Konzil geschehen ist. Aber von all dem kann nun nicht mehr die Rede sein.

An sich müßte nun noch eigens und ausdrücklich etwas über die Jahre gesagt werden, die seit dem Konzil verflossen sind. Dazu können aber hier nur noch ein paar Randbemerkungen gesagt werden. In diesen Jahren ist vieles in der Kirche geschehen, was Rom und einen überzeugten katholischen Christen mit Schmerz und Sorge erfüllt. Man denke an die stillschweigende oder ausdrückliche Abwanderung großer Massen in den westlichen Kirchen aus der Kirche, an das Sinken der Zahlen der Dominikanten, der Taufen und der christlich geschlossenen Ehen, an den Rückgang der Priester- und Ordensberufe, an die Amtsniederlegungen von Priestern in einem bisher nie gekannten Umfang, an den Rückgang des Prestiges der Amtskirche in der profanen Öffentlichkeit, an vielerorts gegebene mißtrauische Aufsässigkeit gegen Rom im scharfen Kontrast zu dem Vertrauen, das ein Johannes XXIII. in aller Welt über die Grenzen der

Kirche hinaus genossen hat usw., um nur einige Symptome zu nennen, deren es noch viele andere gibt. Hier muß aber gleich gesagt und betont werden, daß dieser erschreckende Säkularisationsprozeß als solcher nur zeitlich, nicht aber eigentlich ursächlich mit dem Konzil zusammenhängt. Das Gegenteil behaupten wäre ein schreiendes Unrecht gegen dieses ganz normal katholische und fromme Konzil. Höchstens könnte man sagen, daß gewisse Phänomene innerhalb der Kirche, die ursächlich mit diesem Säkularisationsprozeß zusammenhängen, sich nach und wegen des Konzils deutlicher in der Kirche meldeten, als es während der Pianischen Epoche möglich gewesen wäre. Dieser Säkularisationsprozeß, der manifest in dem letzten Jahrzehnt auch in weitem Maße die gesellschaftlichen Schichten ergriffen hat, die in der Pianischen Epoche kirchentragend waren, und der zu den eben genannten Symptomen in der Kirche führte, darf, will man gerecht sein und seine wahren Gründe finden, nicht in die Beurteilung dieses Jahrzehnts eingerechnet werden, insofern dieses die Nachgeschichte des Konzils als solche ist. Diese Nachgeschichte, soweit wir sie schon erlebt haben, ist natürlich auch als solche sehr komplex: Sie ist in vielem gewiß die Geschichte der Auswirkung dieses Konzils im *positiven* Sinn, worüber später nochmals etwas gesagt werden wird; sie ist gewiß auch in vielem eine Zeit noch nicht erfüllter konziliarer Hoffnungen, eine Zeit gegenläufiger Tendenzen. Man denke nur an die Krise in vieler Hinsicht, die durch „Humanae Vitae" ausgelöst worden ist, an die Stagnation der ökumenischen Bewegung, an repressive Maßnahmen gegen einzelne kirchliche Männer, bei denen nicht immer klar ist, daß Rom dabei recht hat, an die eher bremsende als fördernde Tätigkeit mitteleuropäischer Bischofskonferenzen, an die doch relativ bescheidenen Ergebnisse regionaler Synoden, an Gleichgültigkeit und Resignation im Kirchenvolk gegenüber der Amtskirche usw. So ist es wohl schwer, aus der Geschichte dieser verflossenen Jahre schon eine gerechte Bilanz zu ziehen. Zumal auch anscheinend dem Konzil und seiner Mentalität gegenläufige Tendenzen und Maßnahmen von Rom und von Bischofskonferenzen, genau gesehen, nicht antikonziliar sein können, sondern Reaktionen gegenüber dem Säkularisationsprozeß sind, der an sich mit dem Konzil nichts zu tun hat, wobei natürlich noch einmal die Frage offenbleiben muß, ob diese Reaktionen dem Mut des Konzils zur offenen Feldschlacht (wenn man einmal so sagen darf) entsprechen oder noch stückweise der Strategie einer defensiven Einigelung in der Pianischen Epoche huldigen. Und stellt man diese Frage an manche Phänomene dieser Jahre, dann ist immer noch nicht behauptet, daß man die einzelnen Phänomene unter diesem Frageaspekt wirklich sachgerecht beurteilen kann. Vieles in diesem Jahrzehnt bleibt somit dunkel. Seine genauere Beurteilung im Ganzen bleibt weithin eine Ermessensfrage, deren Beantwortung nicht einheitlich ausfallen wird, auch wenn man sich darüber klar ist, daß die Euphorie eines Neubeginns im Konzil im nüchternen Alltag der Kirche danach nicht ewig anhalten konnte. Mir selbst aber scheint bei allem nüchternen Realismus und sogar Pessimismus, mit dem dieses Jahrzehnt eingeschätzt wird, entscheidend zu bleiben, daß das Konzil durch die letzten Jahre im ganzen gar nicht rückgängig gemacht wurde, weil das nicht der Fall ist und vom Wesen eines katholischen Konzils her auch nicht der Fall sein kann. Die wirkliche Frage scheint mir nur die zu sein, welche Umstände und Situationen in der Kirche und für die Kirche notwendig und zu erwarten sind, daß die vielen noch nicht ausgeschöpften Potentialitäten dieses Konzils zum Tragen kommen, ob diese Umstände und Situationen mehr durch die innere Kraft der Menschen der Kirche heraufgeführt werden oder durch den bitteren Gang der profanen Geschichte erzwungen werden.

Die Kirche hat im Konzil zweifellos Abschied genommen von der Pianischen Epoche. Sie will, das ist selbstverständlich, gerade so ihr Wesen und ihre alte und immer neue

Sendung bewahren. Sie hat sogar, wen sollte das wundern, diesen Abschied in einer Sprache ausgesagt, die noch weithin die alte ist, die den Menschen von heute oft seltsam antiquiert klingen mag. Sie hat die Sprache eines „Triumphalismus" zu vermeiden sich vorgenommen; aber man kann ruhig die Frage stellen, ob ihr das ganz gelungen sei. Vieles, was an kirchenrechtlichen, liturgischen, pastoralen, das Studium regelnden usw. Normen vom Konzil gesagt wurde, gilt natürlich nicht für alle kommenden Zeiten, so daß es in dieser oder jener Frage durchaus auch wieder eine Rückbesinnung auf Gutes und Bewährtes der alten Zeit später kommen kann. Aber die Zäsur ist deutlich. Und, das muß nochmals gesagt werden, sie ist in den letzten zehn Jahren nach dem Konzil nicht zurückgenommen worden. Gewiß ist in diesen Jahren noch nicht alles, was das Konzil auf Papier geschrieben hat, lebendige Wirklichkeit geworden.

Aber es ist zunächst auch in Rom nach dem Konzil viel geschehen: In der Neuordnung und Internationalisierung der kurialen Behörden, in der Liturgie, in manchen Veränderungen im römischen Verwaltungsstil, in der Festlegung der Verfahrensweise der Glaubenskongregation bei Lehrbeanstandungen einzelner Theologen usw. Natürlich müssen solche nachkonziliaren Veränderungen weithin noch erst mit dem Geist des Konzils und seiner Entschlossenheit, sich der Zukunft zu stellen, erfüllt werden. Im ganzen ist die Zäsursetzung des Konzils nicht zurückgenommen worden; der Gang in die Zukunft geht weiter. Das zeigt sich in Rom vor allem z. B. durch die weitere Internationalisierung des Kardinalskollegiums für die Papstwahl, des Wahlgremiums, das man sich vielleicht nach dem Konzil gerne anders gebildet gedacht hätte, das aber auch, so wie es jetzt ist, doch schon einigermaßen eine Repräsentanz der Gesamtkirche darstellt. Daß die Zäsur auch in Rom nicht zurückgenommen wurde, zeigt auch die Institution der Bischofssynode. Hat sie wohl auch bisher nicht die deutliche

Effizienz gehabt, die man gerne sehen müßte, so existiert sie und wird gewiß noch eine größere Bedeutung erhalten, schon einfach darum, weil die künftigen politischen, wirtschaftlichen und kulturellen Entwicklungen und das Gewicht der außereuropäischen christlichen Kirchen es Rom gar nicht mehr in der Zukunft gestatten werden, die Kirche im Stil eines zentralistischen Staates zu regieren. Und überdies: Rom und die Kirche sind nicht einfach identisch; Kirche ist nicht einfach die Summe des von Rom ausdrücklich Gewollten und Angeordneten. Daß aber die *Kirche*, so richtig verstanden, nicht mehr die vorkonziliare Kirche der Pianischen Epoche ist, daran kann im Ernst nicht gezweifelt werden. Das zeigt sich am handgreiflichsten in den Klagen der ,,Konservativen'', die mehr oder weniger deutlich behaupten, sie könnten in der heutigen Kirche in all ihren Dimensionen ihre alte Kirche nicht wiederfinden. Das ist, sachlich gesehen, natürlich einfach falsch, zeigt aber doch, wie tiefgreifend der Wandel in der Kirche ist, der durch das Konzil gewollt oder doch faktisch nach Art eines Katalysators inauguriert wurde und in den letzten Jahren geblieben und sogar gewachsen ist.

Was über dieses Ende der Pianischen Epoche gesagt wurde, ist als schlichte Feststellung gemeint und darf beileibe nicht verstanden werden als ein Triumphgesang von Progressiven, die möglichst vieles in der Kirche geändert sehen wollen, für die ein Abbau von Institutionalismen, Pluralismus, Eigenständigkeit der Teilkirchen usw. rein formal schon ein erstrebenswertes Ziel bedeuten. Das Ende der Pianischen Epoche hat einen ganz anderen Sinn. Er besteht in der Annahme einer auf die Kirche zukommenden Zukunft in Hoffnung allein, einer Zukunft, die dunkel ist. Diese Zukunft ist trotz aller modernen Futurologie dunkel. Wir wissen nicht, welches die konkrete Zukunft der Welt sein wird, die die Situation der Kirche der Zukunft bedeutet. Wir wissen nicht, wie sich der Konflikt weiterentwickeln wird, der zwischen der liberalen Welt des Westens und den sozialistischen und kommunistischen Staaten des Ostens mit ihrer atheistischen Staatsideologie besteht. Wir wissen nicht, wie sich genau der Nord-Süd-Konflikt zwischen den hochindustrialisierten Ländern und der dritten Welt weiterentwickeln wird. Wir wissen nicht, wie genau die Gefahren überwunden werden können, die die rationalistische und industrielle Welt der westlichen Zivilisation mit ihrer Ausbeutung und Zerstörung der Natur heraufbeschworen hat. Wir wissen nicht, wie die ideologischen Konflikte zwischen einem praktischen Materialismus und einer letzten Offenheit des Menschen auf das Geheimnis hin, das wir Gott nennen, in Zukunft sich entwickeln werden, ideologische Konflikte, die quer durch den Ost-West-Konflikt und den Nord-Süd-Konflikt gehen. Die Zukunft der Welt ist dunkel. Ihr aber will sich die Kirche stellen. Sie will dabei gewiß weder ihre geistige noch ihre institutionelle Identität aufgeben. Sie kann und will aber in der Annahme dieser Zukunft in Hoffnung auch nicht mehr jene möglichst autarke kirchliche Binnenkultur bewahren, die das Kennzeichen der Pianischen Epoche war. Damals konnte man so möglichst autark in einem (natürlich geographisch gemeinten) Teil der Welt für sich allein leben, weil die Welt eines westlichen Humanismus und der europäischen und nordamerikanischen Hegemonie zwar nicht ganz nach eigenem Geschmack gebildet, aber doch im großen und ganzen noch so heil und in Ordnung war, daß man sich da doch nach eigenem Rezept einrichten und in Sicherheit leben konnte. Seit dem zweiten Weltkrieg ist die Welt nirgends mehr in Ordnung und in einem ungeheuren und erschreckend schnellen Wandel begriffen, in einem Wandel, der in eine unbekannte dunkle Zukunft führt. Was der Tag gebietet, ist auch heute nüchtern und bescheiden zu tun. Aber in Mut und in der Hoffnung auf eine Zukunft, die unbekannt ist. Dieser Situation will sich die Kirche seit dem Konzil stellen. Darum in tausend Experimenten, deren Ausgang niemand genau im voraus weiß. Darum in einem Pluralismus, der unvermeidlich ist, wenn man *den* Pluralismus annimmt, der heute in allen Dimensionen der Welt gegeben ist und nicht adäquat in ein reflex durchschautes System aufgehoben werden kann. Darum der Mut zu einer großen Selbständigkeit der Teilkirchen, weil die wirklichen Probleme nur an Ort und Stelle wirklich erkannt und bewältigt werden können. Darum der Anfang an der Basis, weil weitgehend und anders als früher der Glaube unten die Institutionen tragen muß und nicht mehr so sehr von diesen getragen wird. Darum die Konzentration der traditionell ungeheueren Differenziertheit des religiösen Lebens und der Theologie seit der konstantinischen Wende auf die letzten zentralen Fragen der lebendigen Erfahrung Gottes und seines Christus. Darum der Mut des Glaubens, der es aushält, gerade aus dieser seiner innersten Mitte heraus in einer winterlichen Zeit des Christentums zu leben, in der nicht viel üppig zu blühen scheint. Darum die gesellschaftskritische bis revolutionäre Haltung gegenüber den Reichen und Mächtigen dieser Welt, eine Haltung, die im letzten nicht aus einer modischen Langeweile gegenüber der ewigen Bestimmung des Menschen erwächst und nicht abgegolten werden kann durch einen neuen charismatischen Enthusiasmus, so sehr dieser in sich gültig sein mag, sondern aus der Überzeugung erwächst, daß der Glaube und die Liebe zu Gott immer vermittelt sind und immer bezeugt werden müssen durch eine wahre Liebe zum Nächsten, die heute nicht mehr privatistisch eingeengt bleiben darf, sondern auch gesellschaftskritisch wirksam werden muß. Im Konzil hat die Kirche sich wenigstens grundsätzlich dieser dunkel andrängenden Zukunft gestellt. Im Abschied von der Pianischen Epoche. Der Anfang ist gemacht, auch wenn er nur ein Anfang ist. Das pilgernde Volk Gottes, das die Kirche ist, konnte diesen Exodus beginnen, weil es glaubt, daß die dunkle Wolke des Geheimnisses, der Erlösung, der unsagbaren Freiheit schon immer die Gipfel der Menschheitsgeschichte umhüllt und auch schon immer in allen Abgründen des Todes, des Scheiterns und der Vergeblichkeit wohnt. Weil die Kirche im letzten doch weiß, was mit Gott gemeint ist, und weil sie sich zu Jesus dem Gekreuzigten und Auferstandenen als der unbedingten Zusage dieses Gottes an die Welt bekennt, konnte sie Abschied nehmen von einem Zelt, das wir die Pianische Epoche genannt haben, und einen Exodus beginnen, dem Gott entgegenkommt.

Karl Rahner
Herbert Vorgrimler

Kleines
Konzilskompendium

Herderbücherei Band 270 ::::::::.   776 Seiten, 10. Aufl.

Das Kleine Konzilskompendium, bereits in über 120 000 Exemplaren verbreitet, bietet alle Konstitutionen, Dekrete und Erklärungen des Zweiten Vaticanums in der endgültigen Übersetzung, die unter Mitarbeit der Verfasser im Auftrag der deutschen Bischöfe erarbeitet wurde; es enthält eine allgemeine Einleitung, sechzehn spezielle Einführungen und ein ausführliches Sachregister aus der Feder Karl Rahners und Herbert Vorgrimlers.
Karl Rahner war einer der führenden Konzilstheologen und war an der nachkonziliaren Arbeit stark beteiligt: Herbert Vorgrimler, sein Schüler, Mitarbeiter und Nachfolger in Münster, hatte die Schriftleitung des großen Konzilskommentars zum ,,Lexikon für Theologie und Kirche" inne.
Mit diesem Handbuch wird dem Leser eine zuverlässige, sachliche und präzise Kurzkommentierung geboten, die auch kritisch auf umstrittene Stellen eingeht, Parallelen zieht und manche Zukunftsperspektiven der Texte untersucht. Das sorgfältig erarbeitete Sachregister ist mehr als ein einfaches Nachschlageregister, es führt zu allen wichtigen Details in den Originaltexten und hilft dem Leser Sinn und Gehalt der Konzilsbeschlüsse zu erschließen.

in der Herderbücherei